Эдвард Радзинский

«А существует ли любовь?» — спрашивают пожарники

АСТ
Москва

УДК 821.161.1Радзинский Э. С.
ББК 84(2Рос=Рус)6—44
Р15

Радзинский, Эдвард Станиславович.

Р15 «А существует ли любовь?» — спрашивают пожарники /Радзинский Э. С. — Москва : АСТ, 2015. — 320 с.

ISBN 978-5-17-094505-4

Самая пронзительная книга о любви от Эдварда Радзинского.

«Каждое утро, проснувшись, я захлебываюсь в собственном дыхании... я ощущаю ваши губы с такой физической реальностью, что почти теряю сознание. Только молоточки в висках. Я становлюсь безумной... и со всей силой этого безумия я говорю вам: я вас люблю!»

УДК 821.161.1Радзинский Э. С.
ББК 84(2Рос=Рус)6—44

ISBN 978-5-17-094505-4

СОДЕРЖАНИЕ

Она в отсутствии любви и смерти

ОНА В ОТСУТСТВИИ ЛЮБВИ И СМЕРТИ

Излюбленными темами
литературы XIX века были
любовь и смерть.
Но с появлением Флобера, Чехова,
Джойса родились новая современная
литература, обратившаяся к новому —
незначительному и повседневному.
Цветан Тодоров, «Поэтика»

ОНА

Осень, но холодное октябрьское солнце сегодня радостно светит.

В ее комнате шторы как всегда раскрыты, и комната наполнена солнцем и несмолкаемым грохотом трассы — дом стоит на шоссе.

Она выросла в этом грохоте и совершенно к нему привыкла. И для нее в нем большое преимущество: она может свободно разговаривать в своей комнате вслух — сама с собой, ибо из-за постоянного шума ничего не слышно в той, второй комнате, которую занимает Ее Мать.

Комната ее Матери — проходная, большая и очень тихая (окна во двор). Здесь все как у всех: трельяж, телефон на полу на длинном шнуре (о который Мать периодически спотыкается), большая тахта (можно залезать с ногами) и кожаное кресло из старого югославского гарнитура. Ее матери «чуть за тридцать», но Мать — прелестна, Она кажется совсем юной в голубеньком джинсовом костюмчике.

Сейчас ее Мать в своей комнате сняла телефонную трубку. Но не стала набирать номер, а расхаживает в задумчивости с телефонной трубкой в руке (споткнулась о шнур: «Ах черт!»).

И Она в своей комнате, по очереди ударившись о стол «Ах черт!» и об угол кресла- кровати «Черт!», улеглась на кровать животом и успокоилась. Но лишь на мгновенье. Вскочила, уселась, и как-то сладко долго потянулась, и, изгибаясь всем телом, жмурясь от солнца, медленно стаскивает с себя ба-

лахончик, будто сдирает кожу, и стоит полуголая в потоке солнца. Потом снова плюхнулась на кресло-кровать. Щелчок. Она включила свой допотопный магнитофон.

В это время ее Мать — все так же с телефонной трубкой в руках — подошла к двери ее комнаты, толкнула, но дверь заперта. Мать стучит.

Она не двигается.

— Оглохла?!

Стучит.

Она, не обращая ни малейшего внимания на стук, шепчет в микрофон:

— Каждое утро, проснувшись, я ощущаю ваши губы с такой физической реальностью... Я становлюсь безумной. И со всей силой этого безумия говорю вам: я вас люблю!

Мать продолжает тщетно барабанить в ее дверь. Она спокойно взглянула на часы, надела байковую кофточку, джинсы, поролоновую куртку и как-то сонно открывает дверь. Глядит на телефонную трубку в руке Матери — усмехнулась. Мать поняла усмешку и торопливо бросила телефонную трубку на ковер.

— В куртке будет холодно. Поддень кофту.

— В кофте будет жарко.

— Милая, у тебя скоро экзамены... Без кофты не пойдешь.

— Хорошо, я понесу кофту в руках.

— Это твое дело. Привет Эрике. Кстати, почему твоя лучшая подруга Эрика никогда к нам не приходит?

Она молча и по-прежнему сонно смотрит на Мать. Мать привыкла не получать ответ и поэтому безостановочно продолжает спрашивать.

— Когда вернешься?

— Не знаю. Сначала пойду в парикмахерскую.

— В какую парикмахерскую?! Ты собиралась к Эрике.

— Сначала я пойду в парикмахерскую.

— Милая, сегодня предпраздничная пятница и все...

— «Сидят в парикмахерских...» Я знаю. Я прошу тебя: дай мне деньги на парикмахерскую.

— Ах, вот в чем дело! Как же я сразу не поняла! Ну, конечно! Ты пойдешь в парикмахерскую, чтобы проторчать там в очереди, да? А потом будет поздно идти к Эрике, да? И ты вернешься домой! Ты решила посмотреть, кто придет ко мне, да?

Она все так же без выражения:

— «Ты решила испортить мой единственный вечер?». Нет. Я не вернусь домой рано. Подходит?

— Это ты сможешь! Чтобы я сошла с ума от страха..,— кричит мать,— я не умею! Я не могу с тобой!

Она, миролюбиво: — Что делать, ты слишком молодая мать.

— Да! Да! — сразу легкомысленно-весело,— Знаешь, вчера мне тип из третьего подъезда сказал, что когда мы с тобой идем по улице...

— То издали я выгляжу старше тебя.

— Какая ты все-таки жуткая...,— помолчав,— Ну что ж, я не хотела тебе говорить, но ты вынуди-

ла... Утром ко мне пришла Надя... девочка из третьего подъезда...

— Мне неинтересно!.. Кто рылся у меня в столе?

— Так вот... Эта милая Надя... пришла, знаешь зачем?

— Мне нужны деньги на парикмахерскую!

— Повидать твою кошку. Оказывается, ты ей рассказала, что у нас живет потрясающая кошка Каштанка, которая тебя страшно любит и ходит за тобой не иначе как на задних лапах! На задних лапах!!

Она успокоившись:

— И что ты ответила?

— Что отродясь у нас не было никакой Каштанки, хотя иногда ты приносишь с улицы бродячих кошек... Но они от нас немедленно убегают! И не потому, что я плохо с ними обращаюсь, а потому, что ты их попросту забываешь кормить! Ты ведь ко всему еще и ленивая! — Дает деньги.— Кот «на задних лапах» — это из «Мастера и Маргариты»? Да?

— А все-таки: кто же рылся на моем столе?

— На твоем письменном столе, который стоит пока в моем доме, я писала сегодня письмо. Можно?

— Поэтому я закрыла все ящики стола на ключ... чтобы в твоем доме кто-то случайно...

Мать тихо-тихо: — Иди.— орет.— Уходи!

Она усмехнулась,— Не позвонил? — кивнув на телефонную трубку,— Сама позвонишь?!

Мать дает ей пощечину.

Она весело: — Чао-какао! Пошла в парикмахерскую!

Как только стукнула входная дверь, Мать тотчас поднимает брошенную трубку, набирает номер.

— Привет, ты не звонил мне, а то я долго разговаривала по телефону? — Выслушивает ответ.— Понятно... Ну, как насчет «сегодня»?.... Конечно, я свободна, мы же договорились. ... Нет, ты же знаешь, в десять — это поздно, она возвращается. ...

Ну ладно, давай встретимся ... в понедельник. Кстати, с понедельника около меня Неделя французских фильмов.... Ну, если они такие ужасные — конечно, не стоит, я могу посмотреть и свои ужасные... До понедельника. Чао...

ПОДРУГА

В такой же большой комнате, с точно таким же трельяжем и креслом, только желтым. Подруга Матери в десятый раз набирает номер.

Она сверстница ее Матери и одета в точно такой же джинсовый костюм, только Подруге он не идет, потому что Подруга маленькая, толстенькая и некрасивая. Зато, естественно, Подруга очень энергичная — ни секунды не сидит на месте, все носится по комнате или убегает в кухню, точно так же спотыкаясь о шнур телефона на полу.

Подруга в очередной раз набрала номер, и в комнате матери раздался звонок.

Мать торопливо схватила трубку:

— Алло...

— Ну, знаешь! Не спрашиваю, с кем ты столько болтала...

— Приезжай.

— А разве он..?

— Нет!.. Сегодня от него мы свободны, сегодня у нас с тобой девичник.

— Еду. Я тебе такое расскажу — новый план жизни. Чао!

Хохочет. И Мать отчего-то тоже хохочет и вешает трубку. Подруга, напевая, начала энергично собираться в своей комнате, время о времени спотыкаясь о шнур.

ДЖАЗИСТ

В это время в третьей квартире — в кухне, загроможденной джазовыми инструментами, три юнца тихонечко играют мелодию.

Двое — очень высокие, гнутые, с прекрасными длинными волосами. Третий — тоже длинноволос, но маленький. — Маленький джазист с подпрыгивающей походкой, нервно сгрызающий свои ногти. Маленький джазист — хозяин на кухне, он руководит двумя высокими.

В дверь кухни постучали, и старческий голос прокричал из-за двери:

— Котик! Пять часов! Ты просил сказать, когда будет пять!

И тогда Маленький джазист перестает играть, торопливо укладывает в футляр саксофон... и уходит. Двое других, будто не замечая, будто в наркотическом опьянении, продолжают играть мелодию.

ОН

И еще одно помещение... Только это уже не комната, а ванная в Его квартире.

Он молча стоит перед зеркалом с жужжащей электробритвой в руке, но Он не бреется. Он тупо уставился на свое отражение в зеркале — отражение усталого тридцатилетнего мужчины.

Нервный голос жены из-за двери:

— Сейчас пять часов!

— Я знаю.

— Ты не сходил даже за вином. В семь придут в гости! Что ты молчишь?

— Думаю.

— О Боже! О чем?! О чем?!

Он молча уложил электробритву в футляр и вышел из ванной.

В семь часов вечера. Та же ванная. В ванную входит Он....Из-за двери слышны громкие голоса и громкая музыка. Он захлопывает дверь, садится на угол ванны и молча сидит. Приоткрывается дверь, и в ванную просовывается веселое, пьяное лицо гостя. Это — Доктор, высокий бритый тридцатилетний весельчак.

— Ку-ку! Твоя просила меня тебя посмотреть,— хохочет,— Говорит, что ты плохо спишь!

Покатываясь от смеха, Доктор заходит в ванную.

— Действительно, хорошая фраза, — смешная.

— Ты посмотри, как сидят наши жены. Представь, что ты их не знаешь, просто мы с тобою сняли двух кисуль и привели на хату. Ну, какую ты выберешь? — хохочет,— Я — свою...

Он чуть подмигнул: — И мою. Бери уж обеих.

Доктор погибает от смеха: — И твою, и свою,— поймал его взгляд, добавил поспешно,— Твоя говорит, что ты просыпаешься в пять утра. Я ее спрашиваю, откуда ты знаешь, когда он просыпается, сама наверняка в пять утра храпишь как сурок,— хохочет,— Но она требует, чтобы я тебя показал профессору. Я ей говорю: «Если ему надо показать профессора — я приведу... а если его — то уж лучше доктору. По крайней мере, мы, доктора, хоть что-то понимаем»,— распусти ремень.

Доктор сам распускает ему ремень.

— Дыши! Дыши, друг мой... глубже... мне даже не надо тебя осматривать, я могу сказать с ходу.— щупает его. — Так больно? А так?

Он сбросил руку Доктора.

— Ну, попижонь! Попижонь! Учти, я пьян и поэтому говорю сейчас умные вещи. Твое сердце оказалось абсолютным банкротом. Оно не выдержало взятых тобой обязательств. Живем в эпоху, жестокую к сердцам.. Тебе очень нужны три недели покоя. У вас отличная академическая больница...

— Какой же ты мерзавец.

— Не понял...

— Хотя...— засмеялся Он,— «Мою» я понимаю, — ты современный мерзавец, везунчик, веселый кобель. Но ты, не пропускающий ни одной медсестры, зачем тебе моя увядшая, несчастная женщина?

— Что ты городишь?!

— Я объясню: она чужая! Это главное. А ты органически не можешь не сцапать, не схватить, не стибрить чужого... Мир — помойка, да?.. Где все жрут, хватают за сиськи...

И вдруг, размахнувшись, нелепо бьет Доктора, но Доктор спокойно перехватывает его руку и, вывернув, пригибает его к полу.

Доктор шепчет:

— Дурак, ты по правде очень болен! Слышишь?

Выпускает его руку и молча выходит из ванной.

Десять вечера того же дня. Он с чемоданом входит в странную огромную комнату.

Видимо, прежний хозяин расширил ее за счет прихожей, и теперь дверь с улицы открывается прямо в комнату. Вся мебель — стол и два стула — уложены на кровать. Это нагромождение покрыто автомобильным брезентом — и есть что-то пугающее в этой бесформенной грубой куче. Зато на стене трогательно набиты маленькие гвоздики.

На одном сиротливо висит полотенце. У кровати большая стопка книг и на нее водружен телефон.

Он подходит к телефону, поднимает трубку и молча слушает гудок. Потом достает из чемодана рубашку, костюм и мятый плащ... Все это развешивает на гвоздиках. Затем сдергивает автомобильный брезент и начинает расставлять мебель, когда раздается звонок в дверь. Он в ужасе глядит на дверь, но звонок звонит безостановочно.

Он открывает. На пороге, с кофтой под мышкой, стоит Она. Она не входит в квартиру, остановилась

на пороге. И весь их дальнейший разговор происходит на пороге.

— Здесь сдается квартира?

— Квартира сдана.

— Давно?

— Сегодня.

— Вам?

— Мне.

— Скажите, у вас не найдется попить, только мне нужно холодную, из-под крана.

Он молча уходит в кухню. Вослед тотчас ее требовательный крик:

— Только мне нужен полный стакан, ладно?

Он возвращается со стаканом воды.

Она кивнула на окно: — Лупит!

— Да, ливень.

— Черт! — Она поглядела на часы, показывая, что торопится, но не уходит из-за дождя.

— Опаздываете?

— Боюсь «потечь» — косметики в этот раз много.

— Зайдите все-таки!

— Ничего-ничего, не стоит вас затруднять. — Она входит в квартиру, но останавливается у двери.

— Впрочем, если у вас есть время, поболтаем... пока дождь... Квартира, конечно, очень хорошая. Но ваш район мне не нравится. Я люблю свой... У нас, знаете, окраина: лес, пруд! И зимой, и летом одно и тоже. Идешь в школу, а впереди тебя шагает человек... такой важный, с портфелем... И вдруг у пруда... пруд у нас между домами... вынимает из портфеля газетку, раздевается прямо на снегу, порт-

фелем прикрывает одежду, чтобы вьюга не замела — и в лунку! Потом вылезает, оделся и дальше!..

Требовательно:

— Я еще хочу пить.

Он улыбается и уходит на кухню, приносит воды. Она жадно пьет.

— Удивляетесь, что я столько пью? Я всегда умираю от жажды.

Опять глядит на часы.

— Встреча?

— Знаете, на столбе, где висело объявление о вашей квартире, рядышком приклеили оригинальную записку: «Требуется вокалистка в инструментальный ансамбль» — и телефон. Человек, естественно, позвонил, договорился о прослушивании. Сказали, в таком-то часу человека будет ждать руководитель ансамбля; он будет в розовых джинсах,— засмеялась,— Здорово!

— Здорово!.. А «человек» не боится?

— А человек загадал: зададите ли вы этот вопрос... Человек не боится. Никого и ничего. Человек может идти посреди улицы, и машины его объезжают. Никто и ничто не смеет ему причинить боль.

— Это почему же?

— Это потому... А вообще это очень солидная группа. Люди часто приглашают их на вечера... Я их, правда, сама не слыхала... я не любила школьные вечера... но люди...

— «Люди» — это ваши коллеги мальчики и девочки?

— Слушайте! Моя мать обожает, чтобы все было названо. Даже то, что она уже поняла! И притом желательно дважды.

— Это у нас с вашей мамой возрастное.

— Не надо, мне и так вас жалко.

Он помолчал, примирительно:

— Любите петь?

— По-моему, сразу видно, что я ненавижу петь. Я люблю мычать что-нибудь про себя, без слов. А петь слова — это ужасная пошлость. Но у меня отличный голос, и я хочу зарабатывать. Я решила снять такую же квартиру. Это большое счастье, когда в твою дверь никто не смеет постучать, если ты сама этого не хочешь. А потом я отправлюсь на юг с подругами.

— У вас есть подруги?

— По-моему, совершенно очевидно, когда у человека есть подруги. У меня есть две подруги. Наденька — потолще, и Эрика — худа и прекрасна. Мы в прошлом году объездили буквально весь юг. Втроем снимали две койки. Мы с Эрикой спали валетиком... Путешествие нам ничего не стоило. Мало ели — много курили... Во всяком случае, у них денег не брали.

— А с «ними» не ладите?

— Просто когда человек входит в свой дом, он отчего-то сразу их обижает. Дело в электронах. У них электроны движутся параллельно, а у человека — перпендикулярно.

— Можно спросить: у вас что-то стряслось?

— Заметно?

— Очень.

— Как вам объяснить... Счастье. У человека появилась возможность... точнее, право — жить так, как хочет он сам... И вот он взял отпуск... И вот у него уже своя квартира...

— Без них!

— Да! Можно читать книжки... Или вообразить, что ты на юге... Человеку не разрешили на юг, а он может лежать и слышать шаги... будто по гравию... будто солнце.

— Чушь! Если бы у меня была возможность, я все равно бы поехала на юг. На юге... на юге...— требовательно,— Я хочу пить! Только я сама. У вас не получается холодная.

Уходит в кухню. Шум льющейся воды.

— Кстати, меня зовут Федор Федорович, а вас?

Ее голос из кухни:

— А зачем вам? Кому сколько лет, кто где работает и как кого зовут — меня не интересует... Я вымыла вашу чашку и поставила ее на место... Мое имя, как у тысяч... Мое имя — обычная кличка, не больше. Поэтому я себя называю «Я». Это хотя бы правда.

Она возвращается из кухни. По ее лицу смешно размазана тушь.

— Я подставила лицо под кран. Теперь мне не страшен никакой дождь,— продолжая размазывать рукой краску,— Теперь, слава Богу, я могу, наконец, уйти от вас. Чао-какао!

И она уходит, оглушительно хлопнув дверью.

Он остается один, садится на кровать, потом идет в кухню и возвращается с ее кофтой в руках. Усмехнувшись, вешает ее кофту на стул.

«На кого же она похожа?» Смеется. «Просто перед глазами уже прошла такая толпа... что всякий на кого-то похож...»

Он лежит на кровати, бормочет:

— Да, как быстро.... Однажды волновался по поводу какого-то дела... ругался. И ответили: «Ваше дело состоится, но через два года»... «Как?! Только через два года?!» В трубке засмеялись и поправили: «Уже через два года. Поверьте, «через два года» — это быстро. «Через два года» — это во вторник!»

И вот уже понимаю эту фразу... Мясорубка из дней. Мелькание. В среду — сорок... в пятницу — пятьдесят. И уже в субботу... Ну, самое большее... до субботы! И отплывать! Отплывать! И вот с этим ощущением...

Помолчав:

— А в общем ничего не произошло: два равнодушных друг к другу тела, отчего-то засыпавших в одной постели, и это была не постель — корабль, на котором они собирались отплыть вдвоем в старость... эти двое, которых знакомые называют детскими именами... а дети этих знакомых в ужасе пялятся, когда на Федю и Валю откликаются два полуразрушенных типа... Два угасших тела... которых связывало друг с другом... что? Возраст... Это называется взаимопониманием... Безысходность... именуется уважением... Трусость, именуемая ощущением грядущих болезней и пониманием слабостей друг друга... «Брак: обмен дурных настроений днем и таких же запахов ночью». Бесстыдная французская пословица. Так что же взбесило? По какому праву другое тело вдруг оказалось живым!

***

В квартире Матери звонок в дверь. Мать идет открывать, возвращается с Подругой.

— Ну, что у тебя?

— Все время звонит, звонит! Надоел!

— Наверное, решил жениться! Точно?

Мать избалованно:

— Да ну его! Только избавилась от одного сонного трутня, и все начинать сначала? Обстирывать, готовить, пока он будет читать газету. Уже все было! Уже все знаю! И главное... зачем? Девочку я, слава Богу, вырастила. Если в шкафу обязательно должны висеть брюки, я могу повесить туда свои!

— Счастливая: все тебя хотят, красивая, дочка есть... А я сегодня утром проснулась в пять утра... и так отчетливо представила свою жизнь...

— Сегодня сделаем маску из свежих огурцов.

Уходят на кухню и возвращаются с тарелкой, наполненной нарезанными огурцами. Они накладывают огурцы на физиономии, ставят на пол бутылку вина, два бокала и ложатся на тахту, продолжая разговор:

— И всю неделю сплошные предательства! У меня два чешских чемодана. Месяц назад одолжила один нашему зав. травматологией. Теперь мне надо ехать в командировку. Звоню ему: принеси! Думаешь, почесался? А почему? Потому что считает, что он мне нравится! ... Возвращаюсь из командировки — сосед по лестничной клетке, молодой специалист, дальний родственник, я ему деньги

одалживаю, ну жалко мне его... лезу в шкаф — нету Цветаевой. Оказывается, он открыл без меня комнату и взял подарить своей телке. И, главное, уверен, что я ему ничего не сделаю! И не только потому, что я добрая! Нет! А потому, что тоже считает... что он мне нравится! Ну что за дела?.. Лучше бы шубу мою подарил!

— Хорошо!

— Что?

— Что он шубу твою не подарил.

— Короче, у меня уже комплекс. Я больше не могу так! Давай выдадим меня замуж. Я никогда не была замужем. В последнее время я все яснее чувствую: буду хорошей женой! Я веселая! Меня в больнице зовут «колокольчик». Говорят: чем больше бьют — тем больше звенишь! Ха-ха-ха! Все! Начинаю новую жизнь.— Пьет.

— «Колокольчик», да? — хохочет.

— За тебя! — Пьет.

— Главное — действовать. Я прочла свой гороскоп. Я — телец. Тельцы в этом году должны обязательно действовать! Если хотят чего-то достичь! Я хочу! Хоть чего-то... На днях читала «Наш район». Там статья об одиноких... Какое там письмо капитана! Капитан гидрографического судна, одинокий, застенчивый, ищет подругу жизни!

— «Жил отважный капитан»...

— «Но никто ему по-дружески не спел»! Понимаешь, на суше он все время ремонтируется в доках... и он никак не может познакомиться с... с суженой,— хохочет.

— В доках,— хохочет,— С суженой...— покатывается от смеха,— «Капитан, капитан, подтянитесь!»

— Слушай, а ты тоже веселая! — хохочет Подруга.

— Я тоже немного — колокольчик.

— Короче, звоню я в редакцию; дайте адрес капитана. Говорят: мы не брачная газета, у нас тысяча звонков по этому поводу. Но я решила: пишу письмо капитану и нахально отправляю в газету для пересылки. И пусть только попробуют не переслать. Я телец, у меня год действия — жалобами завалю!

— А статья жуткая,— усмехнулась Она.

— Значит, тоже читала?

— Нам эту газетенку в ящик кладут... Я представила себе все, что они пишут. Вечера одиноких «после тридцати»... Это конец света: зафиксированный он... зафиксированная она — стоят, как на случке, умирая от стыда.

— Это ты будешь умирать от стыда. А нормальные люди...

— Ну, если так хочется выйти замуж, поезжай на курорт, я не знаю! Ну, пойди в ресторан!

— Это опять ты — пойдешь в ресторан. Вернее, не дойдешь до ресторана... Выйдешь замуж по дороге! А человек с обычной внешностью... с нормальной... то есть с моей... Ты не представляешь, какая запись на эти вечера одиноких. Я позвонила туда утром. Отвечают: женские билеты у них распроданы до следующего года.

Мать вдруг яростно:

— Слушай, едем к нему, а?

— К кому!?

— Ну, к моему! Явимся сейчас,— вскочила, и огурцы посыпались с лица.

— Ты что?! Неудобно — поздно!

— А вот и хорошо, — бешено,— Одевайся!

— Слушай, сейчас двенадцатый час. Он... свободный человек... мало ли...

— А мы, воспитанные, звоним — и вопрос ему из-за двери: «Баба есть? Гони!» Исчерпывающе?! Что, не прогонит? Ради меня? Ну, скажи Вера?

— Прогонит.

— Он такой жадный, у него коллекция фарфора. Войдем и нечаянно локтем весь этот фарфор... Эффектно?

— Так эффектно!

— Он в ужасе! А мы хохочем, звеним — два колокольчика: розовые ротики, язычки бьются...

— А давай считать, что мы уже!

— Бабу выгнали. Да?!

— И вазу разбили! — усмехнулась Подруга.

— Севрскую. Он... ничтожный! Он ничтожный! — Она опять вскочила, теряя последние огурцы с лица.— К черту! Лучше письмо сочиним твоему капитану!

— Грандиозно!

Мать и Подруга, хохоча, проходят в ее комнату. Мать усаживается за ее письменный стол.

Мать диктует себе и пишет:

— «Дорогой и отважный капитан! А не пошли бы вы...»

— Нет, это слишком лаконично.

— Да, письмо должно быть сентиментальным. Они любят, Верунчик, сентиментальное. Значит, «Дорогой капитан! Иногда выходишь на улицу и бродишь, сливаясь с толпой. Все спешат по своим делам, а тебе некуда спешить... и ты возвращаешься домой... одна...» И вот тут: «Дорогой капитан, а не пошли бы вы...»

— Перестань! Так хорошо начала — просто дрожу вся! Продолжай!

— «Теперь обо мне: мне чуть за тридцать». Исчерпывающе? «Рост средний, вес...»

— Не будем.

— Давай напишем — хорошенькая. Капитаны, даже отважные, они это любят.

— Но он же увидит.

— А когда увидит — поздно будет. Ты его задавишь энергией. Ты в пять утра просыпаешься, — продолжает писать: «Я — любитель книг, природы, стихов и в основном домоседка. Характер у меня немного вспыльчив, но отходчив. И главное, за годы одиночества я поняла: бывают женщины, которые сами не знают, чего хотят, и все время ссорятся с мужиками. Ну что плохого, если мужчина любит читать за столом газету, а я в это время картошку приготовлю. Вы пишете, что вы не исключительный человек...»

— Но он не пишет.

— Отстань! «А мне и не надо! Я устала от исключительных Мне чего попроще. Торжествующе: — И вот тут-то с троеточия: «... Дорогой капитан, а не отправились бы вы...»

— Как здорово!.. С ходу сочинила такое! Ты у нас писатель!

Мать засмеялась:

— Тренировалась, Верунчик, к твоему приходу.

Они возвращаются в комнату матери, собирают огурцы, вновь раскладывают на лицах, лежат на тахте и молчат.

— Но вообще-то... я... наверное, достану билеты... на этот вечер «после тридцати»... Я развила с утра деятельность... Естественно, у меня оказалась пациентка... Конечно, мне рядом с твоею красотою... Но, может, обе отправимся? ...

— Да ты что...

— Но я думаю, что вдвоем ...

— Тс-с... помолчи немножко... а то мы, кажется, перезвенели.

Мать идет в ее комнату, включает магнитофон. Тихая мелодия.

— Расслабь лицевые мускулы... Ах, как хорошо... Который час, кстати?

— Одиннадцать.

— Я начинаю волноваться.

— Да ну тебя, кто сейчас возвращается в это время!

— Ну она же сумасшедшая ... Какая музыка... как хорошо.

В это время звонок в его квартире. Он открывает дверь. На пороге опять Она... Он протягивает ей кофту.

— Всегда что-нибудь забываю, — деловито проходит на кухню, откуда раздается шум воды. Возвращается с кухни.

— Который час?

— Одиннадцать.

Она стоит и что-то молча высчитывает, шевеля губами.

— Как ваш в розовых джинсах?

— Я все понимаю по дороге. У меня даже есть теория на этот счет: когда движешься, становишься машиной, и, наверное, тогда и включается подсознание. Недаром — машинально от слова «машина»... Пока я шла домой, я установила, что оставила у вас кофту и что... как ни странно, нигде больше не было объявления о «певице». Оно висело только у моего дома. Поэтому, когда я увидела этого, в розовых джинсах, я совсем не удивилась: он оказался тем самым типом... который уже месяц торчит против моего окна, когда наступают сумерки.

Он усмехнулся: — Значит, все-таки...

— Пришлось побыстрее уносить ноги. А то у меня беда: если я нравлюсь человеку, а он мне понятен, я его начинаю доводить. А это не все терпят.

И вдруг быстро направилась к окну.

— Что?

— Так... удостовериться... кое в чем... Сколько сейчас?

— Четверть.

— Ну, прощайте.

— Прощайте.

— Прощайте...

Она медленно идет к двери,— Черт! Ах черт! — Она беспомощно садится, лихорадочно стучит зу-

бами, — Только вы не бойтесь! — ее бьет озноб, — Это пройдет... Мне нужен горячий чай! — кричит,— Мне холодно!

Он в панике хватает брезент и начинает укутывать ее.

Она требовательно:

— Мне холодно! Мне холодно! Мне холодно!

— Сейчас... Сейчас...

Он нелепо кутает ее в брезент. Она сидит, стуча зубами.

— Я южный человек... Я не могу без солнца! Дрожь постепенно затихает.

— Получше?

Она вдруг, очень спокойно:

— А вы не испугались! — усмехнулась,— Здорово! Обычно они боятся больных. Притом даже не то чтобы заразиться боятся, просто больной им неприятен. А вы первый, не испугавшийся моей странной лихорадки... Потрясающе! Знаете, у меня есть мальчик знакомый... и он, вместе с моей подругой Эрикой, навещал в больнице еще одну нашу общую подругу. Она лежала в психиатрической клинике. И мальчик ее полюбил. Потом девочка выздоровела — и люди расписались. Вы не представляете, что устроили они... И не потому, что они ее не знали или она им не нравилась. Нет, потому что девочка лежала в нервной клинике! Я часто задаю себе вопрос: откуда такое отвращение к страданию?

Он усмехнулся и невзначай дотронулся до ее лица. Она тотчас вскочила.

— Мне надо позвонить,— торопливо набирает номер.

Звонок в комнате матери.

Мать: — Алло...

Она молчит.

— Алло! Алло!

— Это я.

Мать кричит:

— Где ты находишься? Я схожу с ума!

Она молчит.

— Ну, где ты? Ну, умоляю! Ты будешь отвечать?

— Нет.

— Ну, хорошо, только ответь: с тобой что-то случилось? Ну? Ну? Я умоляю!

— Нет. Скоро буду! — Гудки в трубке.

В комнате Матери.

— Слава Богу! Где она?

— У Эрики.

— Что же ты не могла сама туда позвонить?

— Она телефона не дает.

— То есть как это — не дает?

— Отстань!.. Боже мой, я почему-то вдруг так испугалась!

В его комнате... Она положила трубку, помолчала. Молчит и Он.

— Что меня особенно удивляет, самая тонкая перегородка — это между больными и здоровыми — и нет большей пропасти. Да, я что-то забыла...

— Забыли дрожать.

— Нет! Нет! Это была правда! Слышите! Тут вы ничего не поняли. Все так прекрасно понимали!

Это у меня внезапно проходит... И так же внезапно появляется! Это правда! Который час?

— Половина...

— Вы спросили, почему я не боюсь ничего? У меня есть такая теория: с рождения в человеке заложена интуиция. Но мы ее с возрастом — засоряем. В истинном виде интуиция остается только у детей и у животных. Так вот, я ее в себе не заглушила. Когда я вижу два яблока — красное и зеленое... и интуиция подсказывает мне: возьми зеленое, но я все-таки беру красное... оно оказывается червивым. Поэтому, во-первых, я сразу понимаю: надо ли мне бояться, а во-вторых... Замолчала, но вдруг серьезно,— А вот вы зря не боитесь меня. Может, я оставила у вас кофту нарочно, чтобы вас погубить! Может... обитало в пространстве некое кровожадное существо...— помолчав,— А если бы вы узнали обо мне ужасную вещь, а? Вы поверили бы?

Он засмеялся и молча дотронулся до ее волос.

Она тотчас вскочила.

— Откройте дверь! Немедленно! Мне домой нужно! Откройте!

Он испуганно открывает, и Она вихрем уносится в открытую дверь...

Он один. Начинает стелить постель, улыбается и бормочет:

— Открывается дверь и входит... И оттого, что она психованная... или черт знает отчего... И вот уже «охладевший и отживший»... А где же — разочарование и мудрость?.. А как же — «Быстро стареют в страданиях для смерти рожденные люди?!» — смеется,— Ужас!

***

В комнате Матери.

Подруга, одеваясь: — Письмо капитану за тобой, писатель!

— Чао! Я спать хочу.

Подруга уходит.

Мать напевает: «Раз пятнадцать он тонул... но ни разу... но ни разу... но ни разу...»

Задумавшись, сидит на тахте. Стук входной двери — в квартиру входит Она.

— Явилась — не запылилась. Есть хочешь?

– Хочу.

Она проходит на кухню. Открывает холодильник.

Мать кричит:

— Не ешь стоя! В парикмахерской была?

— Естественно...

— Удачно подстриглась, совсем не видно. Как Эрика?

Она молча проходит в свою комнату.

— Опять рылись на моем столе?

Мать, думая о своем:

– «Но ни разу даже глазом не моргнул».

Вынимает из спального ящика подушки, белье и стелет на тахте. Она ложится на кровать, включает магнитофон и шепчет.

— Письмо первое: «Я увидела вас...— взгляды перекрестились — это было страшно. Меня отшвырнуло, показалось, что падают стулья. В изумлении я обвела глазами вокруг, но все было на месте. И в

панике я бежала, бросив на поле боя кофту, как стяг, как бестелесное свое тело... А потом были бессмысленные слова, в которых, как в скорлупе, шевелились те слова. Какое было серое небо весь день. И в дальнейшем все самое грустное и нежное... когда все будет правда... будет происходить при этом дожде... Я все знаю, что будет... Воспоминания о будущем. А теперь — убийство,— стирает запись,— Точнее — самоубийство».

Мать ложась в постель, кричит: «Ты потушишь свет или, как обычно, до трех?» Она молчит.

— Сумасшедшая девка,— гасит свет.

Она в своей комнате набирает номер телефона. Звонок в его квартире.

— Алло... Алло...— Молчание.— Алло... Алло.

Она кладет трубку, торжествующе: — Явь!

***

В опустевшей кухне среди оставленных инструментов тихонечко играет Маленький джазист в розовых джинсах, напевая слова:

«Моя любовь... Моя любовь...
Моя любовь
Бывшее «ты»,
«Ты» распалась —
В реальность грудей, бедер и губ.
Теперь их можно ласкать или обсуждать,
Как жратву в ресторане...
Бывшее «ты»
Моя любовь!

***

На следующий день. Ванная в его прежней квартире. В ванной Его жена, причесывается перед зеркалом. Дверь в ванную раскрыта, и рука Доктора тихонько и нежно ласкает ее лицо, и слышен голос Доктора, разговаривающего по телефону — со своей женой.

— Я на «Скорой»... Мне отсюда не очень ловко разговаривать,— выслушивает ответ,— Буду поздно... Не надо! Только фрукты, я и так прибавил! Никто не звонил? — выслушивает длиннейший ответ,— Я не могу больше разговаривать — я на «скорой»!.. Кстати, купил билеты на французский фестиваль. Целую.

Доктор, заглядывая в ванную: — Кстати, эти французские фильмы — такая муть!

— Я знаю, мне предлагали... Ты не видел мою сережку?

Доктор протягивает ей сережку.

— И как ты ее увидел?

Он, смеясь, целует ее.

— Ну да, опыт... И самое глупое, что он меня безумно любит, и это не дает мне покоя! Ты счастливый! Ты никого не любишь, и у тебя нет никаких обязательств,— она помедлила, ожидая возражений.

— Он очень болен, повторяю...

— Ты считаешь, что я должна ему позвонить?

— Это твоя обязанность сейчас — позвонить и помириться с ним.

— Но я не люблю его... Хотя, конечно, как только я подумаю... что он... где-то один... как собака... Боже мой... ну почему я не могу об этом не думать! И почему я не могу думать о себе! Почему все могут?!

Доктор целует ее в шею. Потом выходит из ванной, потом его рука протягивает телефон и закрывает дверь ванной. Жена медленно набирает номер, потом кладет трубку, вновь набирает.

Звонок в его комнате. Он поднял трубку:

— Алло...

— Здравствуй.

Он, почти страдальчески:

— Здравствуй.

— Ты хочешь показать, что ты не рад?

— Я ничего не хочу показать.

— Как ты себя чувствуешь?

— Хорошо.

Жена капризным, тонким «девичьим» голосом:

— Неправда! Тебе плохо сейчас. Я знаю,— нежно,— Плохо?

— Мне хорошо! Мне великолепно! Мне замечательно! Мне с рождения не было так хорошо! Поверь!

— Бог с тобою. Обещай только одно: если тебе станет плохо — ты сразу мне позвонишь: ночью, когда угодно! Обещай!

— Да! Да! Да! Я обещаю! Я все тебе обещаю. Только,— почти кричит,— не надо звонить!

— Хорошо, хорошо... Не буду звонить. Счастливо.

— Счастливо.

Он бросил трубку.

В ванной Жена распахивает дверь:

— Его страшно жаль.

Голова Доктора просовывается в ванную:

— В последнее время я его почти ненавидела... Но сейчас услышала его голос... несчастный голос ... и все простила. Весь этот ужас последних лет.... Неужели придется ехать к нему? Хотя, в конце концов, он не виноват, что я его разлюбила! Надо оставаться человеком!.. Обними меня... Ну почему я не могу как все? Как я тебя люблю. Знаешь, ты моя первая измена ... то есть... первая, чтобы до греха.... На секундочку.. хоть на одну секундочку думай только обо мне, ладно? Какое счастье просто держать за руку. Я каждую твою клеточку сейчас чувствую... Я все понимаю, но крохотулечку — любишь? Ну, соври! Ладно?

— Люблю.

— Ты не соврал?

— Нет!

Она стоит в ванной и рука доктора ласкает ее лицо.

В его комнате Он молча лежит на кровати. На лестничной клетке этажом выше появляется Она. С телефоном в руке. Набирает номер. Звонок телефона в его комнате. Он не снимает трубку. Телефон звонит безостановочно. Он выдергивает шнур телефона.. Тишина.

На другой день на лестничной клетке снова появляется Она с телефоном, набирает... Он долго слушает звонок, потом, вздохнув, берет трубку, но тот-

час, в панике Она разъединяет телефон... И снова набирает номер.

— Алло...

Она молчит.

— Алло! — зло,— Алло!

— Это я.

Он безумно обрадовавшись:

— А-а! Здравствуйте-здравствуйте!

— Я вам названивала все эти дни.

— Я уезжал.

— Вы были дома все эти дни, но не подходили.

Он засмеялся: — Как узнали?

— У меня есть теория: обычно проходишь мимо других нормально. Это значит, ты уносишь с собой свое изображение — оно скользит по другим, не больше. Но иногда ты отражаешься в ком-нибудь, как в зеркале. Это опасно. Начинаешь тотчас погружаться в этого человека. Это значит, ты чувствуешь все, что чувствует он. Например, я по-разному чувствую себя, когда этот человек дома, когда его нет и когда он уехал из города. Начинаешь ощущать даже его мысли. Но это приводит к страшной путанице: он ведь не знает, что ты все о нем знаешь.

— Где вы сейчас?

— Сейчас я могу... возникнуть из пространства... Я в некотором роде Карлсон — «привидение жуткое, но симпатичное».

Гудки. Она медленно спускается к его квартире.

Он вскакивает, лихорадочно начинает убираться, потом приносит стакан воды, надевает пиджак,

снова снимает. Звонок в дверь. Он открывает, входит Она.

— Откуда вы звонили?!

Она изумленно:

— Жаль Вы не можете поверить, что я действительно — из пространства. Я зазевалась — и передо мной тотчас возник ваш дом. Он стоял на солнцепеке, весь багровый, и я чуть не разбилась об него. Я хочу пить.

— Я приготовил.— Протягивает стакан воды.

Она агрессивно:

— Как молочко в блюдечке для кошки! — пьет,— Послушайте, как умиленно вы на меня смотрите, ну точно как на котенка. А чувствуете вы наверняка совсем другое... но просто так безопасней, да? Так положено смотреть, да?

Он молчит.

Послушайте... а вы несвободный человек, да? Вы, как они,— любите все, что положено.

— Например?

— В прошлый раз я хотела рассказать о себе ужасную вещь... Вы запомнили?

— Да.

— Еще бы! Если бы я хотела рассказать о себе замечательную вещь... ни за что не запомнили бы!.. Хорошо, я расскажу. Но с условием: я — о себе, а вы — о себе.

— Не сумею. Когда я рассказываю о себе ужасные вещи — они выглядят очень милыми.

— Это и есть первый признак несвободы!.. Свободный человек может рассказать о себе такое!..

Опасно заставлять рассказывать о себе свободного человека!

Звонок. Он не берет трубку.

— Странно, я тут, а телефон звонит.

— Это вы звонили весь вчерашний день?!

— А это недостойный вопрос...

Телефон по-прежнему звонит.

— Я начинаю рассказ. Итак, живут три подруги: Эрика, Наденька и еще одна... В это время люди вокруг усиленно играют в «генералов». Можете спросить.

— Спросил.

— Тогда объясняю! Считается, что все плоды, которые висят на деревьях... даже если эти деревья за забором... принадлежат матери-земле... и всем людям, естественно... Или: если люди... заходят в кондитерский магазин... и там их охватывает жажда конфет... а человек, если чего желает, никогда себе не откажет... Что делают неимущие «генералы». Они берут два пакетика конфет... и пока движется очередь... желание конфет исчезает и один пакетик тоже... Они подходят к кассе, свободные от желания и лишнего пакетика.

— То есть самое обычное воровство?

— Я рассказываю не образцовую историю, а ужасную.

— Простите.

— Тогда продолжаю. Однажды некая девочка возненавидела одну из нашей троицы из-за мальчика... Мальчик полюбил, скажем, Эрику... И вот та отвергнутая девочка... ох, какие страсти бывают у отвергнутых девочек... заставила другую девочку...

назовем ее «Икс»... сделать следующее: эта Икс все рассказала про конфеты. Подлость была в том, что она сама ела эти конфеты в магазине и потому все могла подробно рассказать. Естественно, она нарушила законы игры. Но, согласитесь, в мире все должно идти по законам: детским, взрослым, законам природы, законам праведным и неправедным, но по законам, иначе мир рухнет! Законы надо соблюдать... Ну вот... А дальше...

Она замолчала.

— Дальше...

— Вы догадались. Немного лихорадило, но была абсолютная ясность мысли... Самое страшное было то, что Икс покорно пошла в лес за троицей. Она знала, зачем ее повели. Но пошла, и не от бесстрашия, а от покорности, от рабства... Так же как наябедничала из-за покорности перед той! Итак, четверка вошла в лес и стояла на солнышке... както страшно соединенная. Все чувствовали, что они одно... такое, наверное, бывает у религиозных фанатиков! Экстаз! Из этого состояния уже было не выйти... и позже человек понял: покорность жертвы — это и есть одна из причин насилия. Но это потом, а тогда были самые простые мысли: воротничок надо выстирать... нельзя в школу с таким грязным, потом вымыть посуду, книгу в руки... включить музыку и на диван. Только надо быстрее сделать, если пришли. Человек понял, что сойдет с ума. То, что происходило вокруг, воспринималось кусками, и человек ударил ее первым, чтобы не заорать... Сильно ударил ... Каково?

— Вы правы... это действительно ужасно.

— Вы могли представить, что я способна на такое?

— Я отвечу потом.

— Хорошо, я рассказала сейчас... Тогда другой вопрос. Зачем я вам все это рассказала? Как вы думаете? Опять вы почему-то смотрите на меня, как на котенка... Послушайте, вы сегодня что-то ни черта не понимаете!

— А вы сегодня что-то...

— А я вообще злая!.. Я иногда со злости могу натворить такое!.. Разве не видно? — и яростно: — Ну, я жду... Теперь ваша очередь!

— Значит так, четыре года назад. Уже четыре года! Да, четыре года назад... С... «человеком» случилось вот что ... Ночью он сидел у стены с западавшим языком, обливаясь потом, и когда сознание возвращалось, он думал: совсем недавно я мог спать без боли, мог лежать на траве, мог гулять под солнцем... И все это было мне дано! А вместо этого завидовал, скучал и суетился, суетился, суетился. И вот тогда, в своем полубреду, человек поклялся: если выздоровею уже никогда не забуду — важности жизни! Особенно он настаивал на вечной благодарности молоденькой врачихе, которая возилась с ним. Она казалась ему такой прекрасной! В тяжелые ночные часы... это было обожание. Он представлял, как выйдет из больницы и будет посылать ей цветы в день рождения... Нет, на все праздники! Она давно забудет, кто он! Но он, сохранивший навсегда память о важности жизни, он будет помнить... А потом «человек» вышел... И через неделю он жил... как прежде.

Она торжественно:

— Я рада вашей истории... Мне кажется, если бы вы не почувствовали, зачем я вам рассказала свою, вы не решились бы поверить мне это, да?

Он подошел к ней. Она хрипло: — Ощущение... что все было... Самое нелепое, я помню... чем кончилось.

— Вы...

— Что?

— Звоните.

Она не двигается.

— Звоните, ладно?

И тут Она стремительно выбегает из квартиры, хлопнув дверью.Она взбегает на этаж выше ... остановилась и набирает номер.

Звонок в его комнате.

— Да?

— Я хочу задать вопрос: сколько я у вас была? Хорошо, я сама отвечу. Я была у вас двадцать три минуты по часам... Значит, двадцать три минуты по часам и целых три рабочих смены,— засмеялась, Это окончание к моему ужасному рассказу.

— Не понял.

— Это хорошо. И все-таки вы много сегодня поняли. Учтите: была только одна... одна возможность, чтобы все продолжалось... Человек стоял в дверях, умирая от страха. Все висело на волоске. Но вы сказали одну... единственно возможную фразу: «Звоните» — и все стало на свои места.

Гудки в трубке. И вновь звонок телефона.

— Алло!

— Потому что все другие фразы... означали бы, что вы — не вы... и мне снова назад — в пространство! Я благодарна вам за это.

Гудки в трубке.

Наступил вечер. В комнате Матери. В комнату входит Подруга с огурцами в тарелке. Мать и Подруга ложатся на тахту и накладывают огурцы на лица.

— Вообще свинство. Ко мне никто не приходит... чтобы она могла готовиться к экзаменам... А ее каждый день с утра корова языком слизнула.

— Сдаст. А не сдаст — ей семнадцать. Ей все равно хорошо.

— Подожди, рассказывать я огурцы уложу как следует,— закончила укладывать огурцы,— Все! Начинай!

— Значит, пришла. Какой-то болван орет в микрофон счастливым голосом: «Товарищи после тридцати! Наконец мы собрались вместе, желаем вам приятного вечера и веселых встреч!» Сижу. Рядом за столом шесть баб, одна краше другой, возраст соответственно. Думаю, пора сматываться. И тут подходит к столу...

— Врешь!

— Да нет! Красавец, лет сорок с небольшим, элегантный, с легкой сединой. Грустный! Ну, просто капитан!.. Мои бабоньки обмерли, а он... обращается — ко мне!!! Мимо всех!!! «Разрешите вас на танец пригласить». Я быстро лезу через пять

пар ног. Пока лезла, увидела лица остальных... получила такое количество отрицательной психоэнергии — хоть в отпуск! Как я доползла до конца стола — не знаю. И говорю ему небрежно: «Ха!» И будто нехотя, с твоей ленцой иду с ним танцевать.

— Ну! Ну?!

— И вот тогда я испытала, что такое быть повелительницей! Что такое быть — тобой! Вот я во сне летала и правила машиной! Абсолютно то же ощущение! Начинает он со мной танцевать... Ну, танцуй...

Они обе складывают огурцы в тарелку. Мать включает магнитофон в ее комнате. Подруга готовится к танцу; кладет руки на талию матери, но в это время стук двери — входит Она.

— Здравствуй.

— Здравствуй.

— Ты собираешься проваливаться в институт, двоечница?

Она, ни слова не отвечая, молча проходит к себе.

Мать вслед:

— Чтобы сейчас же сидела за учебниками.

Она молча входит в свою комнату. Выключает музыку... Тишина.

Подруга вопросительно смотрит на мать.

— Бог с ней ...

Обе укладываются на тахту.

— Продолжай рассказывать. Только не так смешно, а то у меня огурцы колышутся. Подожди, я все-таки их переложу.

Она в своей комнате. Легла на кровать, включила магнитофон — на запись.

Она:

— Письмо второе, которое излагает все, что было до сегодняшней встречи... «На следующий день, после того как я увидела вас впервые, я позвонила вам. Но телефон молчал. Шел дождь. Она меня не пускала. Но я бросилась в дождь. Я примчалась к вашему дому, дом стоял на месте, дом был реальностью... На вашем этаже за лифтом я позвонила снова, но никто не ответил. Я звонила бесконечно, но телефон молчал. Я поднялась этажом выше и просидела там на подоконнике до вечера. Я боялась, что с вами что-то случилось. В одиннадцать я уехала домой. На следующий день все повторилось. Три дня по целой рабочей смене я провела на вашем подоконнике, чтобы увидеть вас на двадцать три минуты. За это время я успела полюбить ваш подоконник. Он выходит на юг, там всегда солнце, там можно читать книги, писать и иногда звонить вам. Когда мне становилось особенно хорошо, я звонила вам — просто так, от восторга... Зачем я приезжала? Мне, собственно, от вас ничего не нужно было. Лишь увидеть! И когда я увидела вас, я тотчас спокойная ехала домой... Именно спокойная — потому что я знала: с моим человеком все в порядке. Он есть. Я не выдумала его, как все иное! Мне не интересно, как вас называют другие. Я сама придумала вам имя. Это строфа: «Кто и откуда, милое чудо». Милое чудо, здравствуйте! Милое чудо!...

Подходит к столу, ищет ручку, чтобы записать все эти слова, и натыкается на письмо матери, читает: «Дорогой капитан...»

Молча читает письмо до конца.

— Мерзость! — Швырнула письмо на пол и топчет его в ярости.

В комнате Матери.

Подруга:

— Я танцевала так небрежно... великолепно... Я была такой идиоткой, ну, просто настоящей женщиной.

— А он?

— А он на меня смотрит так красиво — просто южный взгляд — и рассказывает историю своего одиночества. Оказалось, он робкий. Такой красавец, но робкий. Ну, болезнь! За ним все ухаживают, а он все робеет. И мечтает о преданной любви. Ну, думаю, раз в жизни пошла пруха. И становлюсь все эффектней и эффектней... Отгадай, чем кончилось?

— Отбили!

— Да ты что! Оглянулась я на свой стол — ни одной моей уродины, все танцуют, и рядом с каждой кавалер, и симпатичный, и тоже им втюривает — про одиночество, про робость! Ну, отгадай: кто они были?

— Импотенты.

— Ну, отгадывай... ну, еще немножко... совсем рядышком, «горячо»!..

— Неужели?!

— Ха-ха-ха! Это была киносъемка! Снимали фильм об одиноких, скрытой камерой. Ну, теперь

ты понимаешь, какая выпала пруха — мое лицо на всю страну с экрана. Неужели не найдется на целую страну хоть один, всего один тип... которому нужна любительница стихов и природы. И вот он покупает билет в кино, и наша встреча состоялась. Пруха! Тельцы должны действовать! Есть надежда! И еще про запас капитан!.. Кстати, ты отправила ему письмо?

Мать вспомнила, вскочила и, теряя огурцы, бросилась к ее двери. Стучит.

Она:

— Можно.

Мать входит в ее комнату. Она глядит на мать, молча поднимает письмо с пола и протягивает ей.

— Ну конечно! Разве ты можешь не прочесть чужое письмо? Спешу тебя разочаровать. Это я написала для тети Веры. Для тети Веры! Слышишь?

Она молчит.

***

Поздний вечер. Его жена пришла в его комнату.

— Какая страшная квартира.

Он как-то испуганно-торопливо:

— Чепуха! Нормальная квартира!

— Я боюсь... ее, отчего-то. Прости, что пришла, но твой телефон не отвечал, а я волнуюсь. Ты счастливый — можешь не волноваться. Так что договоримся: подходи к телефону... Нет, как ты не можешь понять! Если бы ты мог хоть что-то понять... Махнула рукой.

— Прошу тебя!

***

На лестничной клетке появляется Она.

Звонок телефона в его квартире.

Жена усмехнулась:

— Звонят...

Он не подходит к телефону.

— Ты очень тактичный. Спасибо!

Он молчит. Новый звонок.

Он не подходит.

— Каждое утро я просыпаюсь в надежде, что все это сон!... И неужели тебе все равно, что я... что мне... Ты знаешь, с тобой я была очень несчастна... но ты — молодец, ты сумсл сделать меня еще несчастнее...

Телефон по-прежнему непрерывно звонит.

— Тебе очень хочется подойти!.. Но ты... Еще раз спасибо...

— Не надо! Я очень тебя прошу!

— Что «не надо»? Ты же знаешь, что вся моя жизнь в тебе... Я — твое порождение... Я с тобою стала женщиной... я...,— поднялась,— Я пойду?

— Спасибо.

Но Жена не уходит.

— Какой же ты злой! Знаешь, раньше я специально приходила к тебе в институт... И когда я видела там тебя: такой блестящий... И уже могла продолжать жить с тобою... Иногда на целый месяц хватало... Я пойду?

Он кивнул. Но Жена не уходит.

— Как всегда — только о себе. Ну ладно! Эх ты!

— Я не сержусь. Это надо было сделать. Ты сделала первой. Всего лишь!..

— Я ничего не делала! ... Ну, Бог с тобой!,— встала, подошла к нему вплотную,— А ты совсем-совсем... не любишь?

— Не надо!

— Подонок! Ты же... негодяй! Ты... садист! Это все должны знать! Я на каждом углу буду кричать! Я ненавижу тебя! Я десять лет тебя ненавижу! Я изменяла тебе! Слышишь! Знаешь, с кем я изменяла тебе?!

— Я убью тебя! Я...

— Не-а! Не сможешь! Ты... ничтожество! Сколько сил я положила, чтобы сделать из тебя мужчину! Инфантильный дурак! Ты... ты... Ну, ударь! Ударь меня! Трус! Трус!

Жена лупит его по лицу. Он хватает ее за руки, выкручивает. Какая-то отвратительная драка. Безостановочно звонит телефон. Наконец, Жена вырывает руки, и вдруг хватает его за шею, и целует в губы. Потом выдергивает шнур лампы. Темнота. Телефон замолкает.

***

В кухне как обычно играют Джазисты.

Старческий голос из-за двери:

— Мальчики обедать... Котик, зови друзей.

Маленький в розовых джинсах перестает играть. И за ним останавливаются его друзья.

***

В Его квартире. Он зажигает лампу и сидит на постели, опустив голову на руки.

Жена, надевая платье

— В следующий понедельник у меня отгул, и я тебя отсюда заберу... Попижонь до понедельника — и хватит! — кивнула на телефон,— Ты же безвольный... А этот звонок... Мне на него наплевать! Но тебя может обвести любая сукина дочь! В другое время я сказала бы: «Ради Бога, если ты сам этого хочешь!» Но ты же болен,— пронзительно,— Перестань! Ни о чем не думай! Никого у меня не было! Я потом тебе все объясню! Поцелуй меня...— сама его целует,— До понедельника!

Уходит.

Он неподвижно сидит на кровати. И снова звонок в его квартире. Это на лестничной клетке вновь появилась Она... Она держит перед собой окровавленный палец, накрытый платком. Другой рукой набирает его номер.

Она кричит:

— Почему вы не подходили к телефону?!

— Во-первых, здравствуйте.

— Я истекаю кровью!

— Что?!– кричит,— Ты где? Где ты?

Она молчит. Он швыряет трубку и выбегает из квартиры. Она медленно идет к нему, торжественно держа перед собою окровавленный палец, накрытый платком.

***

В комнате матери. Мать решительно снимает трубку и торопливо набирает, будто боясь раздумать.

— Алло! Ты не звонил мне, а то меня не было дома? — выслушивает ответ,— Так как насчет понедельника? Мне надо знать заранее. Понятно. А может тогда лучше встретимся в другой понедельник? — выслушивает,— Хорошо, я позвоню в воскресенье. Целую. Чао...

Мать закуривает.

— Подонок.

Звонок телефона.

— Алло.

Подруга:

— Жизнь продолжается. На этом вечере «после тридцати» я познакомилась с одной армянкой, не очень, правда, красивая, но такая веселая, просто приятно. «Наш человек». И она мне открыла новые горизонты. Оказывается мужа можно найти, где угодно. Она своего нашла на кладбище. Ходила на могилу Высоцкого и он тоже. Оба его фанаты. И на этой почве...

И тут Мать начинает хохотать. Она хохочет неудержимо, до истерики, и Подруга тоже хохочет.

Подруга, заливаясь:

— Ну и что? Одна моя знакомая нашла себе мужа на лестничной клетке... Она инженерша, слышишь? Купила себе дорогой кооператив... Ей надо было выплачивать пай... А тут еще подвернулась шуба. Где взять? И что она решила, отгадай?

— Умоляю! Не надо кроссвордов!

— Она подрядилась мыть свою лестничную клетку. Естественно, стеснялась и решила это делать по ночам, чтобы жильцы не видели. И вот моет лестничную клетку, а ночью, как известно, все семейные спят... Короче, все сразу выяснилось: оказалось, после полуночи обычно возвращаются два симпатичных однокомнатных холостяка — один с восьмого, другой с четвертого. А она к тому времени от мытья полов стала такая изящная: сшила себе рабочий туалет — эффектная очень короткая юбочка и к ней кофточка. Представляешь? Глубокая ночь, луна за окном этой самой клетки, а у нее идут разноэтажные свидания... Короче, пошла такая бурная жизнь... на этой клетке! Осенью она уже была замужем, то ли за тем, с четвертого этажа, то ли с восьмого, то ли за ними обоими... А чего? Запасной вариант!.. Кстати, я высчитала: капитан вчера получил твое письмо.

— Спокойной ночи. Я устала сегодня.

— Ты мне не нравишься в последнее время. До завтра!

***

В его комнату входят Он и Она. Она все так же торжественно держит перед собой, как флаг, забинтованный палец.

— Надеюсь, вы запомнили, в аптеке сказали: я могла истечь кровью! Я могла умереть!

Он почти кричит:

— Я в двадцатый раз спрашиваю: что случилось?

— Как странно, еще вчера вам достаточно было спросить меня или послать за чем-то — и я понеслась бы исполнять! А сейчас мне все равно! Я не слышу вас, как ее! А я немножко себя поняла: я могу поступать только фанатично, безрассудно, со всем пылом или никак! Смешно! Я освободилась от вас! Я в пространстве! Надеюсь, вам ясно: мы прощаемся!

Он молчит.

— Понимаете, я с детства выдумывала. Когда не умела читать, я сидела у окна, смотрела на улицу и выдумывала. И люди, и вещи, которые я видела, тотчас превращались. Поэтому, когда я потом вновь встречалась с этими людьми и вещами, я всегда путалась, что было реально и что я сама придумывала. Я привыкла путаться. Поэтому с самого начала вы не были для меня реальным человеком. Я вам скажу фразу, вы ее все равно не поймете: «Если бы хоть кто-нибудь позволил ей себя полюбить». Я не боюсь ее сказать, потому что никто в мире не смеет меня унизить! Слушайте все: я приехала к вам сегодня, впрочем, как и вчера, и позавчера, и сидела на вашем подоконнике... Я учила историю. Вы уходили и приходили, а я учила. Мне не надо было с вами встречаться. Мне достаточно было того, что я вас вижу, потому что... потому что...

— Это была моя жена!

Она кричит:

— Мне наплевать! Меня не интересуют ваши отношения с другими!.. Если бы вы понимали, что меня не волнуют ваши гнусные отношения, вы подошли бы к телефону! Но вы предали меня! И осво-

бодили... Значит, вы — не вы! Я ухожу из вашей жизни! Обратно! В пространство! Все!

Она не уходит. Стоит, грозно держа забинтованный палец.

— А теперь отвечайте! Учтите! Вы должны сказать мне все! Слышите? И не беспокойтесь... Что бы вы мне ни сказали, сейчас мне ничего не страшно, кроме лжи!

Она засмеялась.

— Вскрывать себе вены –это для других. Для других это подвиг – умереть, а для меня подвиг – жить. Я слушаю вас.

— Я уезжаю отсюда!

И вмиг Она совершенно потерялась.

— Когда?!

— В понедельник...

Долгое молчание.

— Можно задать вопрос... куда?

— Обратно.

— К ним? — засмеялась,— Как же я не поняла! При моей-то интуиции! Значит, ваше — «звоните» было тогда не от понимания моего страха, а от страха вашего, да? Послушайте, до чего же вы несвободный... Теперь я даже думаю, что именно это мне в вас и нравилось. Мне всегда хотелось иметь собственного котенка. Знаете... мурлыкающее маленькое тельце, нуждающееся в моей защите! Молчите! Слушайте... Я только теперь поняла, зачем я вам рассказала тогда мою ужасную историю... Интуиция! Сразу почувствовала, что для вас эта история полна смысла! Ну, ладно! Гуляйте! Счастливо вам добраться в нашу тюрьму!

— Несвободный... это зануда, да?

— Вам так удобнее?

— Когда ты станешь старше — ты поймешь... что у этих самых зануд — всегда остаются обязанности... Их давно уже ни о чем не просят, а они все за кого-то отвечают...

— Я не слышу! Я не слышу! Я не слышу!

Он кричит: — Потому что это необходимо!.. Например, прожив десять лет с человеком, нельзя...

— Десять! Двадцать! Тридцать! Замолчите! Я ненавижу вас сейчас! Я не хочу потонуть в ваших банальностях! Мне плевать! Все в порядке! Слушайте. Я успокоилась! Совсем! Расстаемся! Я даже напоследок хочу попросить вас об одном одолжении! Вы исполните?

— Я исполню.

Он весьма растроган.

— Учтите, вы дали слово! — говорит она зло,— Сейчас вы возьмете трубку, а я наберу номер. Ответит женский голос. Вы скажете этой женщине следующее: «Здравствуйте, это говорит капитан. Я приехал».

Он разочарованно: — Какой капитан?

— Отважный. Очень отважный капитан, которого ждут. Устраивает?

— Я не понимаю.

— А вам и не надо понимать. Достаточно того, что понимаю я. А вы дали слово исполнить. Итак:

«Это капитан. Я приехал». Надеюсь, запомнили? Дальше вы спросите у женщины: «А вы Вера?» И она ответит вам утвердительно... Учтите, она будет колебаться, но все-таки ответит, что она Вера... И тогда вы назначите ей свидание.

— А на самом деле это будет не Вера?

Она зло засмеялась.

— По-моему, это ужасно. А если она не ответит, что ее зовут Вера?

— Она ответит именно так. В этом весь фокус. Я набираю...

Поднимает трубку телефона. Набирает. В квартире Матери. Звонок телефона.

— Алло...

— Здравствуйте.

— Кто это?

Это капитан... Я приехал.

— Боже мой!.. Вы получили письмо!

— Вы... Вера, да?

Мать молчит. Он повторяет: — Вы Вера?

Мать после долгого молчания:

— Да.

— Я хотел бы вас повидать, Вера.

Мать после долгого молчания: — Хорошо.

Она торжествующе засмеялась.

— А когда?

— Давайте завтра... Нет, послезавтра... Нет, вы позвоните мне... в это же время. Хорошо? Послезавтра в это же время. Я буду ждать.

— Хорошо. До свидания, Вера.

— До свидания...

Повесила трубку.

— Какой у него... интеллигентный голос.

В его комнате.

— Теперь объясни мне наконец! Я хочу знать!

— Нет, не хотите... Ну, вы точно как она! Что она сказала?

— Чтобы я позвонил послезавтра.

— Да не пугайтесь! Ничего нового я не придумала. Все ждут своего капитана: я, она, ее подруга, все мы... Ну ладно, прощайте. Ах, да... вы все беспокоились насчет моего пальчика. Я опустила письмо для вас в ваш почтовый ящик, а потом... позже... когда поняла, что это письмо вам не принадлежит, я просунула палец в отверстие и пыталась его выковырять... Но письмо не шло обратно... и я почувствовала ужасную боль, но я все равно поворачивала палец и края отверстия рвали... и кровь лилась в ваш почтовый ящик. Потом я все-таки вырвала палец, и кровь пошла сильнее, и я позвонила вам... Я ненавижу вас! Не дай вам Бог узнать, что я выстрадала сегодня! Ничего, когда-нибудь я сумею отомстить за свои страдания! Меня многому учили в жизни, и только сегодня вы научили меня жить! Будьте прокляты!

Выскочила, хлопнув дверью.

Он остается один. Звонок телефона.

Он торопливо хватает трубку: — Алло...

Молчание.

— Алло!..

— Через тридцать минут спуститесь и возьмите письмо, я напишу его сейчас... вместо того...

Молчание.

— Сказать?

— Скажите.

— Ты нарочно засунула палец в ящик и вертела, пока не облилась кровью...

Гудки в трубке. И новый звонок.

— Алло...

Молчание.

— Алло!..

— Это подлость! Подлость!

Гудки в трубке.

***

Все та же ванная в его прежней квартире. Его жена причесывается, разговаривая с Доктором, стоящим на пороге ванной.

— Я не соврала ему. У нас с тобой действительно ничего не было. «Лав мэйкинг», как говорят англичане, всего лишь. А для меня это ничто! Я ведь мечтала... А!..— махнула рукой,— Я звоню тебе со своей несытой нежностью, но ты занят! Вечно занят! — яростно,— И ты смеешь быть занятым после того, что я для тебя сделала?!

— Но я...

— Замолчи! Ты — садист! Тебе доставляет удовольствие смотреть, как я суюсь в эту жуткую реку, не зная броду... как я буквально давлюсь своей нежностью к тебе! Знаешь, все! Хватит! Была любовь... предопределенная и не заслуженная тобой.

Доктор, как обычно, гладит ее очень нежно по лицу — и жена двигает головкою в такт его ласке.

— Да! Тебе легко... Достаточно взгляда, и я, как дрессированная тигрица, сажусь на тумбу и глазею на хлыст! Нет, нет! Все, я решила! Мы будем с тобою друзьями! Мы будем только друзьями! Слышишь?! Мы только-только друзья!

Целует его руки.

***

В свою комнату возвращается Он с письмом в руках.

Читает письмо:

«Мой обожаемый Бернард Шоу сказал: «Нет в мире женщины, способной сказать «прощай» меньше чем в тридцати словах». Банально? Все, о чем мы с вами говорим, почему-то тонет в банальности! Но мне больно! Мне очень больно! Слышите?! Чтобы понять, что я пережила сегодня, обратитесь к классике — «Дневник Печорина», перед словами: «Тем временем Мери перестала петь»! Я не понимаю, что такое для меня эта встреча: величайшее счастье или величайшее несчастье всей жизни... Но я уже точно знаю, что ни одного человека в мире я не полюблю, как вас. Я готовилась к этой любви! Я не стыжусь признаться в ней! Я пишу вам с гордостью, как о награде: — я вас люблю! И мне не стыдно и не страшно, потому что во мне горы любви! Слышите, вы! Уходя от вас, я подаю вам, нищему, свою любовь. Держите на бедность!

Я».

***

Глубокая ночь. Она на цыпочках проходит через комнату Матери в свою. Мать не ложилась спать. Демонстративно сидит с книжкой в руке. Но, не оборачиваясь, Она проходит в свою комнату, и стоит у своего стола, и стоя ест оставленный ей ужин.

— Я не живу, чтобы дать тебе возможность сдать экзамены! Не ешь стоя! Что с твоим пальцем?

Она молча ест.

— И почему ты опять в джинсах? Я ведь просила тебя приучаться ходить в нормальной юбке. Тебе в институт на экзамен скоро идти!

Она миролюбиво:

— В юбке у меня ноги голые. Это меня очень смущает.

Ставит тарелку на пол: — Спокойной ночи.

Закрывает дверь, подходит к магнитофону, щелчок, включила запись.

Мать, распахнув ее дверь:

— Ты сразу скажи... ты решила проваливаться в институт, двоечница? Выключи этот проклятый магнитофон! — Орет.— И почему ты не ответила — что с твоей рукой?!

— Я никогда не была двоечницей. Кстати, я заметила, что люди, не знающие языка, когда они разговаривают с иностранцами, кричат. Им почему-то кажется, что так их поймут.

Мать, спокойно:

— Мне не нравятся твои встречи с Эрикой.

Меня очень заботят твои ночные возвращения с порезанными пальцами. Короче — все.

Она:

— Не поняла.

Мать, помолчав:

— Я пошла к Наденьке... к твоей любимой подруге...

— Я не хочу слушать.

— Твоей ближайшей подруге Наденьке, которая, правда, не знает, что она твоя ближайшая подруга. И она мне сказала, что Эрики больше нету.

— Замолчи!

— Эрика внезапно уехала к себе во Львов. Эрика абсолютно неожиданно вернулась к родителям, слышишь? И вообще мне надоели все твои глупости. У тебя через два дня экзамены! С завтрашнего дня ты будешь учиться! Эрика во Львове!

— Еще одна... подлость.

— Милая, я знаю жизнь. К сожалению, ты у меня сумасшедшая, и я не хочу, чтобы дело кончилось... первым встречным!

— Капитаном.

— Что... ты сказала?

— Я ничего не сказала... Это ты говоришь. Это ты хочешь сделать мне больно?

Мать молча уходит из ее комнаты, и, как обычно, начинает стелить постель на кушетке, приговаривая:

— О Боже! Как мне надоело разбирать эту постель... Знаешь... я виновата, что родила тебя сразу без сердца и без мозгов. Я постараюсь исправить

это, как могу. Ложись спать. И больше ты никуда не выйдешь из дому, пока не сдашь экзамены.

В ее комнате.

Она укладываясь в кровать, включает магнитофон:

— Письмо двадцать третье: «Итак, сегодня я потеряла сразу вас и Эрику. Я в пространстве, никого вокруг... О нет! Ничего подобного... Ведь слово осталось. Утром, перед приходом к вам, я включила магнитофон и машинально бормотала что-то. Потом мне пришло в голову прослушать свое бормотанье... Это было одно слово, повторяемое на разные лады. Я испугалась. Я записала тотчас музыку на этом слове. Отмотала ленту, включила. Но это слово тихо звучало сквозь музыку. И в панике я сожгла эту ленту. Смешно! Люди стесняются этого слова! У меня есть теория: человек прочитал определенное количество рассказов, человек наблюдал вокруг, человек знает — сначала должна быть Любовь, чтоб потом была Свадьба. Человеку нужна свадьба, и человек идет не от причины к следствию, а — наоборот: рядом есть объект, подходящий для свадьбы... значит? Значит — я его люблю! Так просто! И он вынужден говорить то, чего не чувствует. И оттого людям так неудобно произносить это слово, и оттого люди привыкли стесняться его. Они стесняются своей лжи... Но почему же осталось это слово у меня после всего?!»

Мать молча входит в ее комнату, выдергивает шнур у лампы. Темнота. Возвращается к себе и долго ворочается на кушетке.

***

В кухне. Джазист в розовых джинсах — один.

Тихонечко напевает:

«Реквием
Я не заживусь на этом свете,
Я недолго буду жрать наш общий кислород,
Нарушая экологию среды.
Я умру, и в последний путь пусть провожают
Меня друзья:
Дохлая птица, которую я закопал под забором,
Моя любимая кошка, которую не разрешила держать мать...
Только они, эти двое — меня не предали».

***

Глубокая ночь. Она зажигает свет. Щелчок магнитофона — включила.

Шепчет в магнитофон:

— Письмо двадцать четвертое. «Три часа ночи — это мой час. Только ночью я чувствую себя полностью человеком... Ночью я читаю и думаю, даже ем. Только хищники и убийцы едят по ночам... поэтому у всех убийц желудки порченые... Я проснулась сейчас совсем счастливая. Поразительно: вместо того чтобы умирать от горя — я свечусь от радости и освещаю собою всю комнату, меня надо выключать на ночь... иначе все загорится... Я вас не видела несколько часов, но я не теряю с вами связь. У меня есть теория: у женщин более высокое предназначение, ибо они должны отдавать. И создавать

новую плоть. Поэтому природа наделяет их щедрее. Доля природы в женщине больше. И оттого в них мало логики и много хаоса и безмерности... то есть природы... Поэтому установление связи между людьми сквозь пространство — дело женщин... Чтобы все стало в мире на свои места... я должна непрерывно чувствовать эту связь с вами... Иначе все останавливается. И вот сейчас, наладив связь с вами,— после всего!..— я испытываю радость! Потому что... я чувствую правду. Боже мой! Как мне нравится вот так разговаривать с вами! Я вас люблю. Сколько раз на день я ловлю себя на этом слове, срывающемся с губ. Я сойду с вами с ума, но я не смогу от вас уйти,— смеется,— Какое счастье! Наконец я смогу сказать вам то, что повторяла тысячу раз, вас предчувствуя: «Каждое утро, проснувшись, я захлебываюсь в собственном дыхании... я ощущаю ваши губы с такой физической реальностью, что почти теряю сознание. Только молоточки в висках. Я становлюсь безумной... и со всей силой этого безумия я говорю вам: я вас люблю! Спокойной ночи, милое чудо!»

Раннее утро. Включила магнитофон.

Она:

— Третье письмо за эту ночь. «Доброе утро, милое чудо! Ощущение радости: если подпрыгну — повисну в воздухе! Всю ночь мне снился сон... оставшийся в наследство от давно ушедших детских времен. Бесконечное поле с блеском холодного неба, и мой полет с высоты этого неба, резкий и прохладный, к земле. После этого у меня целый день от восторга судорожно раздвигаются губы, а глаза горят по-хищному. Счастье, что я не родилась в Средние века, иначе меня сожгли бы, как ведьму. Я люблю вас! Я люблю вас! Ужас! В течение ночи я трижды снимала трубку и только усилием воли заставляла себя не звонить вам. Счастливейший день сегодня! И знаете почему? Потому что сегодня я уже не выдержу... и увижу вас... И вы этого хотите сами! Я не знаю, как это произойдет! Я чувствую! Я увижу вас сегодня! — смеется,— Тайники души...»

***

Вечер того же дня. В комнате матери Мать и Подруга.

— Подожди, я только позвоню по делу,— набирает номер,— Ты не звонил мне, а то меня не было дома? – Выслушивает,— Ну хорошо... Чао-какао,— повесила трубку.

Мать легла на кушетку, молчит и Подруга. Они лежат на кушетке и о чем-то думают.

В это время в своей комнате Она разгуливает, натыкаясь на вещи, включила магнитофон.

Мать, прислушиваясь: — Ни черта она не поступит!

Она в своей комнате шепчет:

— Письмо двадцать пятое, которое заканчивает серию неотправленных писем, поскольку пишется с твердым намерением предстать перед адресатом». Адресат, именуемый в дальнейшем «Милое чудо»...

Мать распахивает дверь. Она тотчас замолкает.

Мать выключает магнитофон.

— Завтра у тебя сочинение,— Подруге,— Она даже не раскрывала учебников. Ты ведь писать не умеешь, двоечница! — подруге,— Ты бы посмотрела, как она пишет! Ты бы почитала!

— Зато ты почитала и ты посмотрела!.. Я это уже поняла!

— Но и ты этим не брезгуешь... Хотя я сделала это случайно,— Подруге,— В доме не осталось клочка чистой бумаги. Все исписано ее идиотскими бормотаниями, даже жировки на квартиру. Причем эти писания она разбрасывает всюду... потому что ко всему она еще и неряха!

— Не надо!

— Малограмотная неряха! Она «Тбилиси» через «Д» умудрилась написать — «Дбилиси». Кстати, кто это — «милое чудо»?

— Замолчи!

— Кстати, этому «милому чуду», которому ты так образно описываешь интересные подробности твоей поездки на море в «Дбилиси»... следует знать, что ни в каком «Дбилиси» ты не была... Это так же точно, как то, что в «Дбилиси» нет моря!

— Я запрещаю читать мои бумаги!

— Я запрещаю орать в моем доме! Уродина!

— А ты... ты... ты...— пришла в себя, усмехнулась, спокойно.— Кстати, звонил капитан.

Подруга:

— Какой... капитан?!

— Уж не знаю!

Мать побледнела.

Она глядит на мать:

— Но этот капитан сказал: «Передайте Вере, как мы договорились с Верой, и я перезвоню ей завтра».

Подруга: «То есть как — договорились? Когда мы договорились?»

— Не знаю... Он сказал: «Как договорились с Верой».

Мать поняла, задыхаясь: «Ты... страшная... ты... ты...»

Она спокойно захлопнула дверь. И разгуливает по своей комнате.

Мать и Подруга молча лежат на тахте.

Мать, жалко:

— Перепутала она что-то. Она ведь... «витает».

Подруга молчит.

В это время Она в своей комнате зажигает спички, разводит на столе маленький костер и начинает сжигать всю необъятную гору бумаги, которой завален стол.

Мать потянула носом воздух.

— Горит!

Бросилась к ее двери, но дверь заперта.

— Открой! Немедленно! — Барабанит в дверь,— В последний раз! Открой! — кричит,— Или ты будешь жить дома, как все нормальные девочки! Или... ты... уйдешь отсюда! Слышишь?! Открой! Сейчас же!.. Уходи! Уходи!

***

Ночь, но в комнате матери горит свет. Мать глотает таблетки, потом гасит лампу, потом зажигает снова, смотрит на часы, потом снова гасит.

***

В его комнате. Он спит. Пронзительный звонок. Он вскакивает, бросается к двери.

— Кто?

За дверью молчание. Он торопливо одевается.

Звонок звонит безостановочно. Он уже одет, хочет открыть дверь, но дверь ... не открывается!. Он рвет дверь на себя. Ему кажется со сна, что он сойдет с ума, если не откроет эту дверь.

Последним усилием Он наконец открывает дверь — и летит на пол. Он так и сидит на полу, держась за сердце, когда спокойно, торжественно входит Она с большим портфелем в руках.

— У нас, когда люди хотят пошутить,— они вставляют спичку в звонок, а ручку двери квартиры привязывают веревкой к перилам.

Молчание.

— Вы хотите, наверное, спросить, который час, да?

Он сидя на полу:

— Действительно?

— Мой любимый. Два часа ночи. Вы знаете, еще недавно я была совсем без сил. Но у меня есть теория: когда сил совсем не остается, это самое опасное. Тогда человек может натворить такое...

Он, сидя на полу:

— Что случилось?! Что-то случилось?!

— Как вы смешно выкрикиваете. Даже я начинаю нервничать. Я к вам прямо из пространства! Я пить хочу! Вы рады, что я пришла?

Он, продолжая сидеть на полу:

— Я очень ... рад.

— Нет, вы не рады. Вы просто испугались, что я буду все дни просиживать у вас на лестничной клетке, а по ночам врываться к вам в квартиру — смеется,— Вы не бойтесь, я пришла к вам чисто случайно... Кроме того, я предварительно установила с вами связь... чтобы узнать, можно ли к вам прийти.

— Что... установили?!

— Ну, я же вам писала об этом! ... Это письмо я вам, наверное, тоже не отправила, да? Я все время путаюсь, что вы знаете обо мне, а чего нет! Жаль, вы никогда его не получите. Оно только что погибло в огне!

— Послушай... а «они»... не беспокоятся?

— Почему все одинаковы? Почему все задают какие-то простейшие вопросы, на которые можно отвечать только такими же простейшими ответами? У низших все значительно лучше. Как только детеныш сможет добывать себе пищу, узы тотчас уничтожаются. У высших плюют на тот момент, когда возникает взаимоотталкивание, и силой хотят поддержать прежние отношения. Раз ты живешь на их территории — ты их собственность, они не только могут — они должны лезть в твои дела! — хохочет,— Нет, как вы напуганы! Совершенно неправдоподобная ситуация: посреди ночи девушка явилась к малознакомому первому встречному. И он же ее боится. Странно, да? Только в жизни могут случаться самые неправдоподобные вещи. Вообще, чем вещь интереснее, я заметила,— тем

она неправдоподобнее. А вы абсолютно правильно боитесь. Меня следует бояться,— шепотом,— Нас открыли!

Он устало:

– Кого?

— Эрику, Наденьку и меня... Я вам как-то рассказывала — мы избили девочку. Вчера нас вызвали,— благостно,— Вам хочется спать?

— Послушай, никуда тебя не вызывали...

Она испугавшись, поспешно: — Замолчите!

— И никакую девочку ты не избивала! Ты все придумала! Как ту дрожь в первый день...

Она бросается к дверям, но Он ее ловит.

— Нет уж! Причем придумала с ходу, и наверняка в последний момент, может быть, когда спичку вставляла в звонок! Только зачем?

— Договаривайте: затем, чтобы иметь повод увидеть вас, да? Вчера я чуть не погубила свой палец ради вас, да? А сегодня... Все ради вас? Слушайте! Слушайте! А давайте обсудим другой вариант: может, я нарочно вам врала так нелепо, чтобы вы догадались! Может, мне просто было интересно, как долго вы сможете оставаться богом, то есть молча прощать! Но вы недолго смогли. Вы неважный бог. Слушайте! А может, мне надо было, чтобы вы быстрее пали, чтобы улететь от вас обратно в пространство? Вы быстро пали. Если бы вы видели себя сейчас... Слушайте! Вы просто обычный «несвободный» человек, который боится всего непонятного. Не волнуйтесь... Я вам не угрожаю... Это так — детское... Только дети умеют увлекаться целиком и фанатично... Но контроль я все-таки сохраню, потому что я сразу — и ребенок, и женщина... Учтите, очень старая женщина. У меня ощущение, что я жила всегда... Ну, что молчите? Второй вариант тоже не подходит? Слушайте! Тогда я вам могу третий предложить? Может быть, история об избиении была всего лишь иносказанием! Притчей! Это история ведь о вас была! А не обо мне! И смысл ее был, конечно, не в том, что три девочки избили четвертую. Смысл ее был в той, четвертой. Помните? Она сразу подчинилась. А ведь они вели ее, только чтобы попугать! Всего лишь! Но от ее тупого подчинения в них проснулось зверство. Помните, они велели ей встать на колени, и тотчас, без сопротивления, она встала. Я уверена: вот тогда-то они и озверели окончательно. Покорность жертвы будит в человеке самое низменное: древний инстинкт хищников! Я уверена: безропотно подчинившаяся жертва в какой-то степени соучастник палача. Я рассказала вам эту историю для размышления, Милое чудо. Потому что я интуицией чувствую: вы — прирожденная жертва! Что вы молчите? Вы, посмевший уличить меня во лжи! Как же вы не поняли? Я никогда не лгу, я только придумываю! Например, никакой Эрики нету! Просто зашла в магазин пишущих машинок, мне было шестнадцать лет, у меня не было никакой подруги, точнее, я со всеми рассорилась и погибала от одиночества. А там висела реклама — красавица с золотыми волосами печатает... и надпись «Эрика». И я тотчас сделала ее своей подругой! Потому что... чтобы придумать самое нереальное — мне всегда нужно основание: я — нереальный реалист! Поэтому, чтобы придумать любовь,— мне нужно, как минимум, подобие... то есть вы. Что вы на это скажете? Может, это главный вариант истории? Может быть, вы — миф, как подруга Эрика, не более? А все слова, которые я говорю вам, я уже тысячу раз произносила в воображении. Может, просто выдумала вас, чтобы не задохнуться от собственной нежности.

Он молча подходит к ней.

— Если вы дотронетесь, я заору. Я очень хочу заорать! Я так заору, что проснется весь ваш проклятый дом.— кричит.— Отдайте письма! Слышите! Немедленно! Отдайте все мои письма!

Он удивленно глядит на нее. Потом молча идет, открывает портфель, стоящий в углу, и протягивает ей письмо.

— Нет! Все, что я написала! Немедленно! Потому что каждое письмо стоило мне всех сил! Страданий.

Он молча, усмехаясь, продолжает стоять с одним письмом.

Она почти испуганно:

– Это... все?..

Он по-прежнему молча глядит на нее. И тогда Она выбегает из квартиры, хлопнув дверью. Он сидит на кровати, держась за сердце. Раздается резкий звонок. Он открывает. И входит Она.

— Я рада, что отправила вам всего одно письмо! Вы недостойны моих писем! Но перед тем как вой-

ти к вам сегодня, я сидела на подоконнике и кое-что вам написала. Я решилась все-таки прочесть это вам... чтобы не было путаницы. Только учтите — одно слово, и я уйду! Молчите и слушайте.

Вынимает толстую тетрадь и читает: «Письмо двадцать шестое».

Он с изумлением хотел было спросить, но Она мрачно на него взглянула, и Он ничего не спросил.

Она читает письмо:

«Человек ушел из дома. Все ссоры человека с нею кончались примерно одинаково: «Не умеешь жить дома, как все нормальные люди, уходи». И вот человек ушел. А может, он хотел в ту ночь, чтобы его выгнали,— это еще неясно. Но, так или иначе, человек взял с собой книжку, духи, общую тетрадь, зубную щетку и, имея в наличии девяносто три рубля отбыл, сопровождаемый проклятиями. Он вышел на магистраль и начал ходить с одной стороны на другую. Ему казалось забавным — ходить вот так посреди улицы, которую днем перейти нельзя из-за машин. Несколько раз останавливались машины, но человек качал головой, он ждал свой автобус. В час тридцать, поняв, что ждать бесполезно, он поехал на попутном грузовике. Человека высадили в центре и, учитывая бедственное положение, вручили пакет молока и не взяли ничего. Человек выпил на скамейке молоко, а потом встал и пошел, куда глаза глядят. Он шел и думал — пока ему не перебежала дорогу ночная кошка. Тогда он остановился и огляделся: это было заколдованное место. Стоило человеку отвлечься на мгновение — и где бы он ни находился, он оказывался именно здесь. Поэтому он так боялся отвлекаться. И вот он стоял у этого самого дома и смеялся. Помните, как в «Войне и мире» Пьер...»

— Милая..

И тотчас Она ринулась за дверь. Через мгновение пронзительный звонок в дверь. Он открывает.

Она входит, серьезно:

— Я не буду вам больше читать. Я просто кое-что скажу напоследок. В детстве я очень много болела. Поэтому я, привыкшая быть одна, как никто, ненавижу одиночество. Я, у которой нет друзей... потому что никто меня не выдерживает,— я всегда мечтала о друзьях. Но им скучно со мною, а мне — с ними. И они быстро уходят от меня или я от них. Я называю их «друзья-моменты». Но вы! Вы! Мне предназначенный... Как же вы не поняли, как вы сумели не понять?! Если бы вы знали, что мне стоило простить вас вчера, и вот я пришла, а вы меня оскорбляете всем: словами! Видом! Обвинениями во лжи! — размахивая забинтованным пальцем,— Но я не покраснела, слышите, хотя мне стыдно за вас! Потому что я давно научилась не краснеть, чтобы выжить. Да! Когда человек был маленьким, он заметил: если в чай положить лимон — чай светлеет. Мать мыла голову в лимоне, чтобы у нее светлели волосы. Тогда человек придумал теорию: есть лимоны в невероятных количествах, чтобы научить свою кожу не краснеть. Так вот: когда человеку нужно покраснеть — за себя или за кого-то,— он вспоминает, как мучительно трудно есть через силу лимон! И он бледнеет! Только бледнеет!

Он:

– Я...

Не успел сказать. Она тотчас выскочила за дверь, и тотчас ее звонок. Он открывает.

— Когда я поднималась к вам, я вдруг представила: на лестничных клетках в разных пролетах стоят двое. Они стоят так, что могут даже взяться за руки, но потом — любое движение вверх или вниз, и они не удержат это рукопожатие! Но они не могут стоять — ведь они должны идти! И поэтому миг, когда они соединили руки,— единственный! Единственный! Иначе быть не может! Я чувствую! Скоро все кончится! Я чувствую!

Хлопнув дверью, выбегает из квартиры. Он молча подходит к двери, раскрывает, ждет. Наконец в дверях появляется Она со своим нелепым портфелем. Она сама подходит к нему. Он ее обнимает.

Она бешено выворачивает голову, но застывает тотчас, как чувствует его губы.

Она целуется нелепо, неумело, бешено, потом долго молчит, потом бормочет: «Вершины вбок».

Его комната. В рассветном сумраке в кровати Он и Она.

— Ты что? — Проводит пальцами по ее глазам.

— Ну что вы! Когда дети плачут, они это делают для других. Здесь не для кого.

Но слезы сами текут по ее лицу, но Она все-таки сумела произносить слова не всхлипывая, только медленно.

— Вы не обидитесь, если я уйду?

— Ты никуда не пойдешь.

— Знаете, я сейчас немного посплю. Умираю — хочу спать. А потом я уйду.

— Ты считаешь, что... они...

— Я запрещаю вмешиваться в мою жизнь. Я никому этого не позволяю... Только помолчите, я посплю три секундочки, ладно?

Долгая-долгая пауза, наконец-то Она сумела совсем успокоиться.

Вскакивает. На кровати:

— Все! Я выспалась, больше не хочу. Я хочу вина!

— Зачем тебе вина?

— Испугались? Я так люблю, когда вы пугаетесь. Я хочу напиться! Слышите!

— Тебе не надо напиваться.

— А вы без юмора: учить праведности вами же сотворенную грешницу... Ну, хорошо. Я, пожалуй, еще немного у вас побуду. Мне не так долго осталось с вами встречаться... Мне, может, не очень долго осталось жить. Не верите? Я не переживу этого лета. Кстати, «они» — это она...

— А твой отец...

— Разучитесь задавать мне вопросы,— нежно-нежно,— Она читала мне вслух сказки! Все детство! Миллион сказок! Она очень красивая, и она принадлежала мне, только мне!.. И вот однажды я узнала, что она — не моя, она мне изменила. Появился он ... Учтите, я не возненавидела его, он был ниже моей ненависти. Я возненавидела ее!

Я не могла смотреть на нее без презрения! У нее голос меняется, когда она разговаривает с ним по телефону! Я все время вспоминаю историю: тигр любил укротительницу и загрыз ее, когда она полюбила! Но самое жуткое: недавно я прочла ее письмо. Она — богиня! Красавица! Рожденная, чтобы ее боготворили! Писала неизвестному! И готова была боготворить его, только чтобы не быть одной... то есть не быть со мной!

— Это мы ей звонили?..

— Не мы, а вы! Послушайте, я рассказала вам все это только потому... что у меня ощущение, что все, что знаю я,— знаете и вы. И я путаюсь! Просто чтобы не путаться... Который час?

— Четыре.

— Прекрасно. Еще, пожалуй, четверть часа. Я уже совсем не хочу спать. Знаете, ночью я оживаю. Возлюбленная ночь... Но именно в этот час, перед рассветом, у меня появляется ощущение такого трагизма — как будто мне осталось жить всего лишь до восхода! И так не хочется уходить. Я люблю ночь за нереальность, или моя нереальность от ночи? Пожалейте меня!... А, все равно! Моя ночь! Милый! Милое чудо! — смеясь,— Слушайте!! Помните, я говорила, что не боюсь никого, и никто не сумеет причинить мне боль? Знаете почему? Потому что самая страшная боль исходит от меня самой. И самое дикое, что я эту боль предчувствую задолго. И, предчувствуя, я уже заранее ее переживаю. Так что, когда эта боль наступает, мне уже не больно. Невероятная дикость получается: то, что я чувствую во время, предшествующее боли, куда страшнее, чем сама боль... Знаете, отчего я сейчас так переживаю? Я чувствую: Я вас потеряю.

– Ну что ты еще выдумала?

— Я хорошая, слышите? Скажите: я хорошая! Я все равно хорошая? Да? Да?

— Да, да!

— И понимаете, то, что я сейчас скажу вам,— это не фантазия: я знаю точно — я жила раньше... очень давно... иначе я не могла бы так точно вас предчувствовать. Вы верите?

— Верю.

— Нет, вы попросту хотите спать... У меня есть теория: в Новый год я должна стричься. Дело в том, что кончики моих волос хранят память года. Определенная их длина соответствует определенному страданию. И оттого вместе с кончиками волос уходят мои беды... Поэтому 31 декабря я прихожу в парикмахерскую, но там на меня смотрят как на идиотку: говорят, у тебя стричь нечего. Но я жду! Я жду! И где-то в десять вечера они сдаются и стригут меня, только чтобы отвязаться. А в этом году мне было так плохо, что я не дождалась Нового года и прямо перед вами решила состричься! И когда я состриглась, я вдруг странно поняла — случится! И я вышла из парикмахерской — ожидая. И в половине шестого я впервые раскрыла вашу дверь.

— А тот, в розовых джинсах, он... был?

— Эх вы — «был — не был»! Он похож на меня, может, поэтому я не люблю его. Я даже думаю, что он сейчас стоит — там... за окном. ... Я знаю, вы не верите.

Утро. Он просыпается, вскакивает, бросается в кухню, в ванную, потом возвращается: Ее — нет.

***

Ее квартира. Она тихонько на цыпочках проходит через комнату матери. Мать неподвижно лежит на кровати с открытыми глазами. Она проходит в свою комнату закрывает дверь. Она молча оглядывает комнату будто видит ее впервые, потом в какой-то странной панике начинает передвигать вещи в комнате.

Входит Мать. Она стоит около кровати и глядит на Мать.

Мать жалко:

— Возвращайся, когда захочешь... Но только возвращайся... а то я не сплю!

Уходит к себе. И тут Она начинает рыдать, тихо-тихо, зажимая рукой рот.

***

В кухню входит Маленький джазист в розовых джинсах.

В пустой кухне молча начинает крушить инструменты.

***

Вечер. Она звонит с лестничной клетки. В своей комнате Он.

Поднял трубку:

— Алло...

Она молчит.

— Алло... Это ты?

Она молчит.

— Где ты?

— В пространстве.

— Почему ты ушла?

— Я ушла, чтобы вы не запомнили меня такой...

— Как ты добралась домой?

— Я уже уходила от вас очень поздно, но вы не интересовались этим вопросом.

— Я жду тебя с утра! Я...

— А раньше вы не ждали меня с утра. Как все просто оказалось. Скажите мне, пожалуйста, еще раз, что я хорошая.

— Ты хорошая, очень-очень хорошая.

— Несмотря на то, что ты, не сдала экзамена.

— Как не сдала?!

— Можете меня поздравить.

— Почему не сдала?! ... Любой тупица...

— Опять вы испугались! Я написала сочинение, интересное... но грязное. В этом и была вся беда: я переписывать органически не могу. Мне мучительно повторять одно и то же. Например, если я рассказываю разным людям, то всегда с такими изменениями, что когда они собираются вместе и начинают вспоминать, что и кому я говорила,— мне приходится убегать. И вот, когда я переписывала сочинение...

— Послушай, а ты не можешь прийти и все это мне рассказать?

— Нет... И вот, когда я переписывала, меня захватила одна идея. Я вдруг представила себе идеальное нормальное существо — такое, каким хотели бы меня видеть вы и она... то есть здоровое, без нервов и несколько похожее на упрощенное животное. И тут я сделала вывод: для меня ценность человеческого существования определяется его отклонением от нормы. Но я пошла дальше. Мне показалось, что не труд создал человека.

... Только не бойтесь — лень! Оттого что одной обезьяне стало лень целый день искать себе пищу, она задумалась: что бы такое сделать, чтобы ничего не делать и быть сытой. И придумала орудие. И появился человек. И так мне это понравилось... Я все это записала.

— В сочинении?!

— Правда, когда я решила обсудить эту мысль со всех сторон, мне не хватило времени. Что же теперь!?

— Не кричите!.. Не знаю. Ну ладно! Теперь я сказала вам самое страшное — для вас. Но еще осталось сказать самое страшное — для меня.

— Что?! Что еще?!

— Если вы будете так пугаться...

— Приходи!.. Я прошу тебя!

— Попросите еще, пожалуйста.

— Я прошу!.. Очень прошу!...

— Нет... Если я приду, я не смогу вам все сказать. А вот так смогу,— засмеялась,— Я счастлива... Я, кажется, счастлива... Вы знаете, я всегда прихожу к вам — прощаться. Каждая наша встреча для меня последняя. Представляете, что я переживаю?.. Я не знаю, как я это выдерживаю...

— Подожди одно мгновение.

Она засмеялась.

— Хитрый. Хотите найти меня на вашей лестничной клетке? Я не гриб — не надо меня искать. Учтите, даже если я там — я от вас убегу. Так что слушайте спокойно. Я расскажу вам, почему я решила проститься с вами сегодня. Человек обожал свою комнату. Человек много болел в своей жизни и большую часть времени проводил в кровати. В кровати он читал, думал, ел яблоки. Это было его прибежище среди пространства. И вот однажды человек вернулся в свою комнату утром. Первый раз в жизни он не ночевал в своей комнате. И не узнал ее. Это была чужая комната. Человек подошел к кровати — она оттолкнула его. В панике он передвигал вещи. Но все было кончено! Представьте человека, который жил в своем доме и которого поселили вдруг на вокзале! И в этот миг вошла мать и тихо-тихо сказала: «Возвращайся, когда хочешь, но только возвращайся». И вдруг все стало таким счастливым, человек чувствовал такое счастье и боль... и такую любовь к ней, и жажду жертвовать!.. Боже мой! Как он мог забыть свою любовь к ней! И человек зарыдал. И смотрел на себя в зеркало. А оттуда, из зеркала, на него глядели четыре опухших от слез лица... И человек все выяснял: какое из них – он сам. И все четыре лица по-разному отвечали на вопрос, кого он любит: Его? Или свою потребность любить? Или воспоминания о том, о чем мечтала? Или действительно только себя?.. И все четыре лица плакали вместе... Как в детстве. Один ревет, а все за компанию, потому что вспоминают тоже свои обиды. Прощайте.

— Алло... алло...

Она после долгого молчания:

— Я вас никогда не спрашивала, но я решила спросить вас об одной вещи... Забыла... Нет, вспомнила. Ну, как вы... то есть как вы... относитесь ко мне?

— Вся история в том, что у меня никогда не было... Всю жизнь я работал, работал, работал... И вот выяснилось — я люблю тебя.

И тотчас Она швырнула трубку. И снова набирает номер. Звонок в его квартире.

— Алло!..

Молчание.

— Алло!..

Молчание.

— Алло... Алло!!!

Она:

— Не кричите. Вы знаете, сегодня был самый счастливый мой день за все семнадцать лет. У нас перед домом лес, и когда я шла от вас утром, я сняла туфли и бежала... бежала... расставив руки. Знаете, я буквально захлебывалась.. Я размахивала своей голубенькой сумочкой... до безумия ощущая голыми ногами мокрую траву. Знаете, такая сумасшедшая нимфочка... Вообще для меня очень важно — соприкосновение, поэтому свой вечный любимый балахон

я ношу надетым непосредственно на голое тело... И поэтому я так люблю воду. Соприкосновение, ласка природы... Моя кожа хранит соприкосновение с вашей... Ваша кожа во мне навсегда! И никто этого у меня никогда не отнимет.

— Я больше ничего не прошу! Только объясни, я очень прошу...

— Раньше во мне была обделенность. Я ничего не получала от вас взамен и хватала, как говорится, что дают. И вдруг разом получила все — вершину... — усмехнулась, — Правда, немножечко вбок. И оттого сейчас вместо жадности голодного во мне странное умиротворение... покой. Я готова плакать все время. Я всех люблю: вас, ее. Я настоящая женщина. Я стала взрослой, Милое чудо... Я всегда стремилась стать взрослой и не хотела! Мне нельзя! Я не сумею взрослой! Мне страшно! Для меня все дело в том, чтобы стремиться, но не стать! К счастью, я не успею стать! Завтра я ложусь в больницу.

— В какую больницу?!

— Опять вы кричите! Если бы вы знали, как я устала.

— Я тоже устал! Я очень устал. В какую больницу?!

— Если человек сердится — значит, он устал не до конца. У меня есть теория: когда человек устанет до конца, он не сможет быть злым. У него и сил не хватит для сокращения мускулов в злую гримасу. Настоящая усталость — это ясное тихое лицо. Прощайте. Я напишу вам! Слышите?! И ждите!

Я напишу! Прощайте! А то за мной, кажется, следят! Ждите!

Гудки в трубке.

***

Прошло несколько дней.

Вечер. В свою комнату входит Он с ее письмом в руках.

Он читает:

«... Я поняла. Мои сказки — это мои мечты, погибающие из-за собственной величины... В палате — две кровати, две тумбочки... В тумбочку я сложила свои тетради и неотправленные письма. Вы знаете, когда меня везли, мы проезжали мимо той доски объявлений. И конечно, шел дождь и было серое. Небо моих воспоминаний неизвестно зачем. Мне нельзя вспоминать. Я начинаю плакать. Подпись. Бывшая «я». «Я» — умерло, здравствуйте, меня зовут Наташа, или Каштанка, кто как... Если вы захотите прислать мне ответ, напишите по адресу: двадцать третий квартал, дом восемнадцать, кв. девять — мне перешлют».

Он задумывается. Потом и быстро выходит из квартиры.

***

Вечер.

В комнате матери Мать и Подруга.

Подруга только что вошла, снимает плащ.

Мать, стараясь весело:

— Сестра из гинекологии показала мне упражнение.

Становится на корточки и ходит.

— Полчаса в день — и можешь есть пирожные.

Подруга молча о сидит в кресле.

Мать поднимаясь с колен, стараясь небрежно.

— Почему ты не рассказываешь о своих жениховских делах?

Подруга усмехнулась.

— А чего рассказывать. Надеюсь, ты поняла, что я только шутила. ... Ты ведь тоже шутила...

Мать вопросительно глядит на нее.

— Ну с капитаном... ну, которому ты письмо от меня отправила... А телефон почему-то свой написала... Пошутила, да?

Молчание.

— Боже мой, ты — красавица! А я думала, что у красавиц... Все-таки, наверное, лучше быть уродиной. Природа им много не дала, а взамен дала все: ловкость, хитрость, и вдобавок все уродины ощущают себя красавицами и еще других убеждают в этом. Природа экономна: или красота, или ум, или счастье... Ну, чем у вас кончилось с капитаном?

— Он больше... не позвонил...

— Главное — не трепыхаться. Мне предлагают заведовать отделением. Наверное, возьму, а то у меня куча энергии. Что ты молчишь?.. Просто мне хотелось верить, что есть та, которую все любят, которая всех бросает...

— Врешь!.. Ты никогда в это не верила. Если бы ты видела свое лицо, когда я звоню ему по телефону!.. Просто так было удобнее — тебе и мне. Ну, а теперь нам плохо будет вместе. Надо выдумывать новое... А поздно... Ты права. Надо сказать себе: ты прожила. И опустить глаза раз и навсегда. Засмеялась: «Капитан, капитан, улыбнитесь...»

Звонок в дверь. Они тотчас замолкают. Снова звонок. И как будто по команде, обе начинают лихорадочно причесываться, поправляют одежду перед зеркалом, они в каком-то исступлении. Наконец Мать идет открывать дверь.

Входит Он.

Мать в недоумении глядит на него:

— Простите, ради Бога. Я хотел бы узнать, как здоровье Наташи?

Мать вздрогнула при звуке его голоса:

— Какой Наташи?

— Это двадцать третий квартал, дом восемнадцать, квартира девять?

— Да. Но никакой Наташи здесь нет.

— Может быть, вам Галю?

— Нет, мне Наташу.

Мать вдруг торопливо:

—А вам дом восемнадцать, квартира девять по улице Свиридова или по Третьей Вавилова?

— Я не знаю.

Мать совсем торопливо:

— Вам наверняка по Третьей Вавилова! Это такой же дом, как наш только торцом направо...

Но раздается стук входной двери, и в комнату входит Она. Мать в ужасе глядит на нее. Она молча смотрит на него.

Она совершенно спокойна.

— Здравствуйте.

Мать торопливо:

— Ты не знаешь Наташу во втором корпусе?

— Нет.

Она проходит в свою комнату и слушает, застыв у двери.

— Спасибо, я пойду.

Уходит.

— Какой милый, да? И голос у него какой-то...

— Интеллигентный.

Она все стоит у двери в своей комнате.

— Я почему-то вдруг так взволновалась, когда он позвонил. Мне показалось, вот откроется дверь... и войдет...

— Капитан.

Подруга засмеялась и Мать тоже.

— Поздравляю тебя.

Подруга испуганно глядит на Мать.

— Дождались... Он пришел...

— Что ты мелешь?!

— Ну-ну, ты уже все поняла. Ты его сразу узнала, да? Хотя он очень долго плавал: «По морям, по волнам, нынче здесь, завтра там...» Но он к

нам вернулся! И на берегу его ждали две Ассоли, две романтические, прокуренные Ассоли средних лет... Ну, давай хором: «По морям, по волнам...» — Кричит,— Галя! Галя! Ты будешь есть?

Она молчит, глотая слезы!

— Это правда? — вскочила,— Куда он уехал?!

— Он? — вяло,— Туда... куда все они уехали — кот, который ходил на задних лапах, прекрасная Эрика... Это идиотская страна... где живет моя дочь... Моя бедная и любимая дочь, которую ждет ужин в кухне в холодильнике! ... Только, пожалуйста, не ешь стоя!

***

На следующий день.

На кухне Маленький джазист один.

Маленький джазист вынимает письмо и читает вслух, точнее, видимо, перечитывает, судя по легкости, с которой он читает... Он будто будоражит себя, доводя до бешеной ярости:

«Вы мне надоели вашими постоянными преследованиями. Вы требуете правды! Пожалуйста! Вы — точно такой же буржуа, как те, кого вы презираете. Просто сейчас — вы молодой буржуа, а потом станете осмотрительным и старым. Для меня буржуа отличается: первое — дефектом зрения. Он видит только то, что видят все, то есть он творчески бездарен. Второе — несвободой, страхом перемен и постоянной трусостью, маскируемой разными высокими словами и понятиями. И полной невозможностью осуществить свои мечты и страсти, если для этого требуется преступить норму.

Он способен лишь на трусливое подглядывание...

Я могла бы все это аргументировать разбором ваших писем, но мне скучно... Что же касается до дефекта вашего зрения, вы сможете легко в этом убедиться, прочтя вырезку из журнала «Собаководство». В то время как вы кропали сентиментальные стихи, перед вашим носом лежал прелестнейший текст. Клянусь, можно — не изменяя ни строчки — положить всю статью на музыку, и получится блестящая рок-опера! Итак, посылаю вам начало этой статьи. Статья называется «Охотничьи собаки». Рок-оперу по этой статье следует назвать «О женщинах».

Текст первой арии: «Если человек имел собаку, он будет помнить ее всю жизнь. Вспоминая ее, человек вспоминает себя, возвышенного своим покровительством к существу, ничего не требующему и лишь глубоко озабоченному тем, чтобы хозяин не бросил его. Не перестал являть божескую милость... Но быть Богом не просто, даже таким небольшим, каким следует быть человеку в отношениях с собакой. Есть люди, которые, заводя пса из-за моды, ничего не находят в этом союзе. Однако человек, однажды испытавший отнесенное к себе чувство собачьей привязанности, потом всегда о нем тоскует. Помните, тоску по собаке может заглушить только другая собака». Здорово, да? И помните (когда вы захотите переслать мне свои очередные сентиментальные песни о любви!) — любви нет! Есть только превращение личности в покорную собаку. И все!..

Каштанка, спаниель»

Маленький джазист замолкает, потому что в кухню входят двое других юнцов. Он глядит на часы, молча кивает. И тогда они уходят — втроем.

***

В его квартире Звонок. Он открывает дверь, и молча входит Она.

— Дать воды?

Она отрицательно качает головой. Молчание.

— А почему «Наташа»?

— А мне всегда нравилось это имя.

— А если бы я послал тебе письмо?

— Я всегда сама вынимаю газеты из ящика.

— А тебя зовут Галя?

— Сначала меня звали «я», потом «я» — умерло. Теперь меня зовут Каштанкой. Надеюсь, и она скоро подохнет.

— Я плакал, когда читал твое письмо.

— Я плакала, когда я его писала.

— Но зачем? Зачем?

— Я постараюсь вам объяснить, но в меру вашего понимания. В себе я люблю и ценю трагизм... свою нереальность... И то, что вы бы назвали, жестокостью. С вами все это во мне вымерло... И народилось какое-то доброе существо... полное щенячьей любви и преданности — ко всем! Мне надо было уйти от вас хоть на время... чтобы понять, что со мною! Мне надо было уйти от вас и одновремен-

но вас сохранить... Я хотела, чтобы вас не было, но чтобы вы были и ждали... Но я привыкла жить среди нормальных людей. Я, живущая в нереальности, выучила — люди не верят сказкам... Вымысел смешит или пугает. Единственный вымысел, который реален для людей,— это страдание. И я выдумала свое страдание, чтобы вы поверили. Я не могла сказать вам правду — «я ухожу в пространство, ждите!» И я сказала: «Я ухожу в больницу»,— и вы стали ждать.

— Ну ладно, это со мной. Но зачем же ты сделала с нею?..

— Это гадкий вопрос.... Она вам понравилась, да? Она красавица,— засмеялась,— То-то. Я считала, что забыть того... ничтожного, она сможет только ради другого... только ради мифа. Или вот вам совсем благородное объяснение: я хотела, чтобы у нее появился кто-то вместо того, который ее не любит... или хотя бы у нее появилась надежда. Видите! Видите, как вам это все нравится! Потому что это лирично и похоже на то, что должно быть! А хотите ужасное объяснение? А если... если я попросту захотела повелевать ею?.. А если верны все три объяснения сразу, что тогда?

— Я только одного не могу понять, откуда это в тебе!.. Ты же маленькая... откуда эта уверенность, что ты можешь распоряжаться другим человеком! Чужой волей! Откуда эта необходимая потребность все время диктовать... мне! ей!.. И эта сосредоточенность на себе?.. Неужели это возраст? Откуда жестокость... при твоем сердце? Неужели это было во мне... раньше? Тогда почему я не помню?.. Или я не все понимаю?

— А я тоже не все понимаю! В вас есть все, что я ненавижу... Вы жертва!.. Если хотите... Я предпочитаю жертве — палача! Вы — буржуа! Вы не похожи ни на одного из моих героев, но я вас люблю! Я вас почему-то смертельно люблю, как никого и никогда не полюблю в жизни! Я вас люблю, хотя все в вас не принимаю! Вы слепой! Ведь вы с самого начала считали меня чуть ли не девкой... А хотите, я вам сейчас скажу самую смешную вещь: первый человек в жизни, которого я сама поцеловала,— это вы! Меня целовали один раз до вас! Но это было насильно... Если бы вы знали, как я готовилась к вашему поцелую. Я боялась, что у меня не получится. Вам смешно! А я с самого начала чувствовала, что вы ни черта не понимаете! Но уверяла себя в обратном и все-таки чувствовала... Я только теперь поняла, почему я вас называла «Милое чудо». Не подвела интуиция! Хотите, скажу? У одного моего обожаемого фантаста есть такое определение: «Чудо — это всегда в конечном счете шарлатанство».

— Я люблю тебя.

— Перед тем как мы расстанемся... сейчас это уже точно, потому что Каштанка во мне должна подохнуть... я попрошу вас исполнить мое последнее желание! Это последнее сентиментальное желание издыхающей жалкой собаки! Знаете, когда я бесславно сутками слонялась перед вашим домом, поджидая вас... я всегда покупала себе мороженое.

Так вот, в последний раз мы встретимся с вами на улице и вдвоем пройдем этим проклятым маршрутом. И вы сами мне купите мороженое, идет?

— Да! Да! Да!

Он целует ее... Бесконечно. И Она уже совсем в безумии отвечает на эти поцелуи, когда раздается звонок в дверь.

Они замерли. Вновь звонок.

Он усмехнулся:

— Понедельник.

Звонок.

Она бросаясь к двери:

— Не открывайте!

— Нет уж ... Пора закончить с прошлым.

— Не надо! Я вас прошу, не надо!

Он, смеясь, отталкивает ее и открывает дверь.

На пороге Маленький джазист в розовых джинсах. За ним — двое других.

Она метнулась между ними:

— Уйди! Уходи! Немедленно!

— Нет! Я хочу, чтобы все закончилось! Я пришел поглядсть на мужика, который тебя...

— Заткнись!

Маленький ловко сбивает с него очки.

Он тотчас становится беспомощным, он шарит очки на полу.

— Значит, девку трахаешь! Круто, отец! — заводясь,— Что же ты делаешь, отец, а?

— Уйди! — Бросается на Маленького, но один из Джазистов уже перехватил ее.

Она вырывается, но он крепко держит.

— Я спросил тебя, отец: что ты с нею делаешь, а? – схватил его за лицо.

Она визжа и вырываясь:

— Я прошу! Я прошу!

Но они уже ловко и как-то весело начинают швырять его на руки друг другу. И он, ничего не видя без очков, нелепо тычется между ними...

Маленький джазист, приговаривает — А, отец? – Швыряет, — Ну, отец? Быстрее, шевелись, отец!.. Быстрее... Быстрее ... Быстрее!

***

Его прежняя квартира. Звонок.

Жена:

— Алло...

Доктор зло:

— Что случилось? Почему ты звонила мне домой!

— Прости... Но он... Его избили.. Он связался с какой-то девкой... И он... Он ... Причем не от побоев...

Молчание.

— От сердца?! Я же говорил!

— Эта тварь не догадалась вызвать «скорую»... А-а-а! — зажала рот кулаком и вопит в руку.

— М-да.

— Не удалась жизнь...

***

В комнату Матери входит Она... Молча проходит в свою комнату. Неподвижно стоит, глядя перед собой.

Мать кричит ей:

— Еда в холодильнике ... Только не ешь стоя!

Мать набирает номер:

— Алло, ты не звонил мне... а то у меня было занято, – стараясь весело, игриво,— Ты не забыл — Сегодня — понедельник...

«А существует ли любовь?» — спрашивают пожарники

«А СУЩЕСТВУЕТ ЛИ ЛЮБОВЬ?» — СПРАШИВАЮТ ПОЖАРНИКИ

Он вышел из сутолоки вокзала и увидел пустынный прекрасный город. Было утро.

(А можно начать так: поезд, пробуждение под мерзкую музыку-побудку вагонного репродуктора, очередь в туалет, надвигающийся за окном город с нищими домами-коробками и унылой грязью... И лицо в заплеванном зеркале в вагонном туалете — помятое лицо. Овал лица — Обвал лица. И уже потом: «Он вышел из сутолоки вокзала и увидел пустынный прекрасный город».)

Было утро. Было раннее утро.

Он занял очередь на такси, и, радуясь, как ловко, расторопно он все сегодня делает, отправился звонить на студию. И сразу дозвонился.

— Диспетчер Андреева,— ответил голос.

— Я... писатель...

— Кто вы? Говорите, пожалуйста, громче!

Он, как обычно, бестолково объяснил, что он — автор сценария, приехал на картину «Варенька» и что ему должна быть забронирована гостиница.

— Секундочку...— сказала женщина.— Пока, к сожалению, ничего. Но этим занимается Бродецкий. Позвоните через час.

Он огорчился. Он загадал, что сегодня у него все будет ладно с самого начала. В последнее время от частых неудач он стал суеверен. Он позвонил Режиссеру домой.

— Алло! С приездом, парень! С гостиницей в порядке?

Он сразу понял, что Режиссер все знает, но ответил.

— Вот гады,— радостно сказал Режиссер.— Но вообще-то они не виноваты. Это сейчас на всех картинах такое положение с гостиницами. Конгресс какой-то.

— Я понял. Я — без гостиницы, но не потому, что не уважают твою картину.

— Парень, ты с какого года, ты с какого парохода? — засмеялся Режиссер. Эта идиотская фраза означала у него почему-то шутку.

Договорились встретиться через час. Он позавтракал и через час был на студии. В вестибюле его встречал юный брюнет с радостно-развратным лицом. Это был Второй режиссер Сережа.

— Конечно, нету?

— Но ждем его с минуты на минуту,— весело ответил Сережа.

Все было как всегда. Режиссер не спешил, да и зачем спешить? Все в порядке — автор приехал, куда теперь торопиться? Он не осуждал Режиссера — снимать картину трудно и надо эко-

номить силы. Сейчас Режиссер завтракал дома и экономил силы.

— Гостиницу ищут, — счастливо сказал Сережа.

— И скоро найдут?

— Скоро, — веселился Сережа. — Сам Бродецкий... занимается.

И подмигнул. Самые обычные фразы он умудрялся произносить неприлично.

В вестибюль вошел еще один юный брюнет, постарше, но все с тем же хамовато-развратным лицом:

— Похудел, помолодел, зазнался!

Он с изумлением понял, что Сережин двойник обращался к нему. Откуда-то он знал этого типа... А может быть, и не знал. Может быть, просто видел в каком-то фильме. А может быть, и не видел. Может быть, даже тип его не знал... Здесь это было несущественно. Здесь была киностудия.

— Ну, как ты? — живо поинтересовался двойник.

— Я? Ничего.

— А вообще?

— Тоже ничего.

— Ну вот и хорошо.

И Сережин двойник сложил руки загончиком, поймал его голову, и они радостно расцеловались.

— Анекдот хочешь? Летят два кирпича с крыши. Один другому и говорит: «Что-то погода сегодня плохая». А другой кирпич отвечает: «Это ничего. Лишь бы человек попался хороший». Смешно...

Говорят, ты что-то хорошее написал? Я не читал, но все хвалят.

— Спасибо.

— «Спасибо» в ж... не засунешь. Ты для меня когда написать думаешь? Мне нравится, как ты пишешь. Ты пишешь — с х... м. Напиши про тренера. Ты видел этот японский фильм?

— Видел, видел.

Он боялся, что брюнет начнет пересказывать японский фильм.

— Ну где же ты? Мы все тебя ждем, а ты тут ля-ля...

В вестибюль вошел Режиссер.

— Хорошо выглядишь, парень.

Режиссер выставил руки знакомым загончиком, поймал его голову, и они радостно расцеловались.

И тотчас перед Режиссером возник Сережа-первый.

— Сережа — мировой парень,— сказал Режиссер.— Но у него — хобби: ленив, болтлив и обожает удовольствия. Чувственен до озверения. Он у нас здесь — сектор сладкой жизни.— И добавил заботливо: — Что с его гостиницей, Сережа?

— Скоро будет. Бродецкий занимается...

Потом они помчались по бесконечному кругу-коридору... На этом чертовом круге все бежали, не забывая общаться на бегу. И Режиссер тоже общался:

— Здравствуй! Автор приехал. Вытащил в кои-то веки. Смотри, как выглядит: — красавец! Еще бы проживает сейчас на юге в городе-курорте, бары,

солнце утомленное, а мы с вами в таком климате живем — того и гляди снег пойдет...— и ему... — Главное сейчас нам с тобой переделать начало и конец. Здесь ты больше всего врешь. Ха-ха, отец, не обижайся... Здравствуйте!. Знакомьтесь. Автор — вытащил в кои-то веки На юге проживает... — ему — Значит, о начале картины... Здравствуйте! А это — автор! Вытащил, живет на юге. Как Чехов, в ласковом солнце живет — вишь, какой кругленький, загорелый, а мы тут с вами на ладан дышим... Значит, о начале картины. Они у тебя знакомятся на эк... экс... на экска... латоре... Слово дурацкое. Но вообще-то красиво: ночь, поднимается абсолютно пустой эк... скалатор... и на нем двое. Только двое. И вот уже он познакомился с ней...

Он познакомился с ней, когда учился в университете.

Она шла впереди него в густой толпе к эскалатору.

Он сразу удивился, как прекрасно она шла, будто танцуя. Он обогнал ее, оглянулся и обрадовался прелести ее лица. Он заговорил. Когда он заговаривал с незнакомыми девушками, они или торопливо хихикали, или отвечали независимо-грубо. Но при том и те, и другие заботились о произведенном впечатлении. А она не заботилась.... Он рассказал ей тогда какую-то историю, прекрасную историю, которую он где-то прочитал. Он тогда много читал. А она посмотрела на него круглыми зелеными глазами и сказала:

— А я этого и не знала...

Ему было с ней легко. Сразу легко. Он проводил ее домой, и она сама его спросила:

— Когда мы встретимся?

(— Я тебя пожалела тогда в метро, ты очень смешно выпячивал грудь, когда подошел ко мне. И я сразу все про тебя поняла... Мне стало тебя жалко, потому что ты был совсем один... один-один! А потом, когда ты меня проводил, уже не жалко... Потому что я подумала — ты и есть «кумир»...— она засмеялась.— Понимаешь, у девушки странная привычка кому-то поклоняться. И как раз перед тобою закончилась неудачная любовь. Как положено дуре, сначала девушка жить не захотела. Ну а потом... воспряла духом, все косточки в порядок привела и дала себе слово со всеми «кумирчиками» завязать... Ха-ха-ха... Независимость и мужественность на повестке дня у девушки! И вот некстати появился ты.)

Но это все она говорила ему потом. И смеялась каким-то глупеньким смешком.

— Особенно мне не нравится ее первая фраза на экска... латоре.,— продолжал наступление режиссер.— Понимаешь, это первая ее фраза! И она должна быть на сливочном масле!

Как все просто! Не будь тогда того эскалатора, и не было бы перед ним Режиссера, Сережи, этого безумного коридора и всей его нынешней жизни.

Они дошли до двери, над которой висела табличка с названием картины — «Варенька». В ком-

нате их встретил все тот же Сережа, все также оживленно-развратно беседовавший с молодой красавицей.

— Ты посмотри,— сказал Режиссер,— куда ни приду — всюду он! Только не в павильоне! Только не на работе!

Сережа весело хохотал.

— А это наша единственная, наша распрекрасная... Лебедь из сказки

Девица покраснела.

— Когда я прочел сценарий, сразу сказал себе: ну, кто может сыграть ее? Только она... А это — автор. На юге живет, купается, пока мы с вами над его сценарием уродуемся.

Вошла Женщина с никаким лицом.

— Ведите ее в павильон, через пятнадцать минут начнем.

— Платье для «Длинного дня»? — спросила женщина.

— Утверждаем.

И Актрису увели.

— Платье, конечно, хреновое, — сказал Режиссер Сереже,— но лучше они все равно не сделают... Но тебе на это ... Ты все время болтаешь, болтаешь... Ну чего ты с ней болтаешь, все равно тебе она не даст... Лишь бы не работать!

Сережа заливался смехом.

— Для его жены я — жуткий тиран. Сережа говорит жене, что я его все время вызываю на ночные съемки.

Сережа умирал от смеха.

— Сережа, ты, по-моему, надолго здесь расположился, а зря: мы ведь с автором работать пришли. Ра-бо-тать! Я понимаю, ты забыл, что есть такое понятие...

Сережа умирал от смеха.

— Так что, Сережа, сыграй в человека-невидимку — кино про него смотрел? Про книжку не спрашиваю — здесь не читают книжек. Здесь — киностудия.

И Сережа исчез за дверью.

— Если три процента задуманного они выполняют — считай, ты счастливчик... Значит, о начале картины...

Режиссер походил из угла в угол, что означало раздумье. Он остановился у окна и зябко потер руки над батареей, как над костром,— это означало отчаяние.

— Жить не хочется и просыпаться ни к чему.

— Почему так?

— Остроумный вопрос. Ты на солнечном пляже, а я тут уродуюсь по две смены, пытаюсь воспроизвести то, что ты написал. Может быть, в повести это все как-то звучало, но когда мы начали снимать...

Это был ораторский прием. Каждый раз, когда Режиссер хотел что-то переделать в его сценарии, он начинал с трагической ноты. Это называлось «подавить противника».

— Соловейчик прочел сценарий и сказал: «Это ниже разговора». Соловейчик — петербургский интеллигент в десятом поколении... Ну, хрен с ним, с

Соловейчиком. На сколько приехал? На сутки, конечно?

Вообще –то он приехал на два дня. Режиссер об этом знал, более того, они так и договаривались. Но ему вдруг стало отчего-то неудобно, и он промолчал.

— Значит, на сутки! Задержись. Работа нам предстоит с тобой большая. Речь идет о судьбе картины. В таком виде сценарий снимать нельзя. Нечестно,— режиссер кричал: — Работа предстоит огромная! — И добавил нежно: — Что ты молчишь?

Он знал, что вся огромная работа сведется к тому, что Режиссер приведет его домой и, пылая от нетерпения, прочтет кусок текста, который сочинил сам, уже прочитал своей жене, и они с ней всласть насладились этим творением. Люди обожают заниматься не своим делом: комики пытаются быть трагиками, поэты — драматургами, драматурги — прозаиками, актрисы — играть мужские роли... Что ж тут особенного — Режиссер хотел писать.

— Что ты молчишь?

И еще он знал конец: устав от выматывающих споров, от заискивающих режиссерских глаз, от торопливых пришепетываний его жены («Умоляю, верьте ему! Он талантлив! Мне неудобно об этом говорить, я жена, но он безумно талантлив!»), он подправит самые ужасные фразы и согласится со всем, только бы уехать из этого сумасшедшего дома назад — к морю и солнцу... И Режиссер будет провожать его на поезд, они зайдут в ресторан и после на прощанья будут объясняться у поезда в творческой любви.

— Что я предлагаю...— в руках Режиссера появилась папочка.— Ну, сначала о мелочах. Мне очень понравилась такая фраза... я ее услышал в автобусе... ты ведь редко ездишь в общественном транспорте... значит, фраза: «Хоть плохонький, да свой». И еще: «Сижу одна и кукую»... И еще третья фраза... Вот черт, склероз... забыл! Но это все мелочи. Теперь главное: я не требую авторских, но то, что я придумал для финала... Когда я прочитал Вале... Ей плевать, что я муж, я слышу от нее иногда такие вещи...

— Я понял.

— Короче, мне неловко говорить, но словечко «гениально» замелькало,— режиссер засмеялся.— Итак, читаю новый финал нашей картины. Повторяю, авторских не требую.

И Режиссер замолчал.

— Ну и что же ты не читаешь?

В ход опять пошла батарея — Режиссер зябко потер руки над воображаемым костром.

— Короче: я все время думал, почему у тебя она погибла?

В комнату заглянул Сережа.

— Мы работаем! — бешено заорал Режиссер. Сережа исчез.

— Понимаешь, смерть...— это уже было доверительное шептанье.— Я пытался даже переставить эпизоды; всунуть ее гибель в начало, перед первой

сценой на экска... экс-ка-ла-торе, проклятое слово... Я все делал. И тут я пришел к выводу... сейчас ты меня убьешь...— и Режиссер прокричал: — Она не погибла! Только сразу не отрицай!

Он молчал. И Режиссер, все еще не решаясь на него посмотреть, заговорил скороговоркой:

— Она осталась жива. Финал другой. Мне рассказли недавно эпизод... фамилии не называем... она изменила ему, а он ее любил, любил по-страшному...— у Режиссера в глазах были слезы, он легко возбуждался.— И когда он все узнал, ворвался к ней домой и ударил ее. И при этом любил! Смертельно! И вот во время драки у нее задирается юбка... И когда он видит... Страсть! Бешеная! На грани безумия. В этом правда! Жестокая правда! Старик, какой эпизод! Они катаются по полу и... А потом опять лупят друг друга... А потом — опять... Дерутся и еб... ся! Бац! Бац!.. Какой эпизод! Вот что такое — «на сливочном масле!».. Но я предлагаю другой финал — помнишь, они у тебя ссорятся перед финалом? И вот в результате бешеной ссоры они...

— Трахаются.

— Священная неясность, чувак! Два тела... точнее, тени-силуэты тел, и они не в постели, а в небе, они летят, как у Шагала, над домами, над миром! И только обнаженные руки, женская и мужская, тянутся друг к другу — но тщетно... В этом смысл того, что ты написал! А твоя катастрофа в финале — это по-детски банально! — режиссер развивал наступление.— И потому когда маразматик

Соловейчик после читки задал вопрос: «Почему она погибла?» — я не мог ему ответить!

— Почему она погибла...

— Я не понимаю смысл этой смерти — это всего лишь сентиментальный Карамзин! А мне дай сливочное масло! Миры подавай! Не пойму — не могу снимать! Что ты молчишь?

Почему она погибла? И когда она погибла?

А тогда было только начало. Были просто солнечные дни, и ему нравилось, как она идет своей танцующей походкой, и как все оборачиваются ей вслед, и как она по-птичьи порывиста и радостно красива.

— Я не опоздала?

Она никогда не опаздывала. В крайнем случае, добиралась на микроавтобусах, на грузовичках, даже на поливальных машинах! Если в назначенный час у метро останавливалась какая-нибудь нелепая машина — это была она.

— Можешь меня чмокнуть в щечку. Нет-нет, чемоданчик не трогай. Я сама. Я потом как-нибудь нарочно устану для женственности и попрошу тебя понести... Что ты улыбаешься?

— Я не улыбаюсь.

— Нет, ты улыбаешься. У меня смешной вид, да? Просто у девушки в руках — два места: сумочка и пальтишко. Как я вышагиваю с тобой важно, ха-ха-ха! Нет-нет, чемоданчик не трогай!

Она боялась любой его помощи.

— Это не нужно девушке. Чтобы не мягчать. А то не заметишь и опять влопаешься в привязанность. А потом отвыкать трудно. Лучше подба-

дривать себя разными глупыми, грубыми словечками — опять же, чтобы не мягчать. А то хорошо мне — я плачу, плохо — реву, слезы у меня близко расположены, думаю я себе.

«Думаю я себе» — одно из выражений, которыми она себя «подбадривала». Другое — «ужасно».

По дороге ее посещали самые внезапные мысли, и тогда она вдруг вцеплялась в его руку и произносила, расширив зеленые глаза:

— Ужасно!

Но добиться от нее, что именно «ужасно», было невозможно. Она шла и молча шевелила губами — это она так беседовала сама с собой. А через несколько дней вдруг говорила:

— Знаешь, мне приснилось в ту ночь, что тебе стало плохо-плохо и ты остался совсем один, какой-то разорившийся, никому не нужный, «изгой», как говорит бабушка Вера Николаевна. И я тебя так жалею, ну до слез, а помочь почему-то не могу, не пускают меня к тебе... Представляешь, мы с тобой шли тогда — и я все это вдруг так отчетливо увидела!

Но все это она говорила ему потом...

В комнату весело ввалились все те же: Женщина с никаким лицом и радостный Сережа.

— Время, Федор Федорович!

Режиссер принял величественный, таинственный вид — такими должно быть бывают женщины перед родами.

— Пора в павильон! Со мной пойдешь или здесь над финалом подумаешь?

— Над финалом я думать не буду. Финал будет прежний.

— Парень, так не пойдет. Я прошу тебя о минимуме — другие вообще ничего не просят. Они просто не разговаривают с авторами, они их переделывают,— Режиссер распалял себя.— А я прошу! Я объясняю, почему меня жмет! Но ты...

Когда напечатали его повесть, некая критическая дама, существо некрасивое, естественно, умное и злое, сказала, яростно улыбаясь:

— Милая повесть. Можно, конечно, писать и получше, но нынче это необязательно. Восхитительна главная героиня — она святая. Это своего рода новаторство. Последние удачные жития святых были написаны в пятнадцатом веке.

Он горячился. Ответил что-то обидное ... Зачем? Она была не виновата. Она никогда не любила. И ее не любили.. И оттого она была так яростно деловита и с такой страстью занималась уймой важных и серьезных вещей, которые в конечном счете оказываются такими неважными и несерьезными...

А она — любила. И поэтому повесть имела успех. Ему повезло с ней. Ему попалась прекрасная она. Это самое важное, если ты стараешься писать правду. А он тогда старался.

— Если хочешь знать правду — надо переписать полсценария! — кричал Режиссер, уже стоя в дверях. Чтобы весь коридор слышал, как он управляется с автором. И как он несчастен.— Скажи что-нибудь! Роди!

— Пошел к черту.

— Пошел сам! Я не буду снимать! Снимай сам это дерьмо! Говенный святочный рассказ! И справедливо об этом писали!

— Зачем ты тогда взялся снимать?

— Потому что нечего было снимать! Понимаешь: не-че-го! А хочется! А нечего! А надо! «Ам-ам» делать надо!

— Федор Федорович, в павильоне заждались,— нежно сказал Сережа. Он любил скандалы.

— Я прошу тебя, парень,— сказал Режиссер покорно и тихо,— постарайся меня понять. И не надо со мной ругаться! А то тебе что — отряхнулся и пошел, а мне снимать! Посиди, подумай, чувак. И приходи.

— Мы в седьмом павильоне,— сказал Сережа.

И все они пропали за дверью.

Эту историю он считал святой для себя. Он обещал себе не разрешать никому прикасаться к ней. И когда зазвонили телефоны с киностудий (это было ему приятно, этого он ожидал), он с достоинством отказывался. Чем больше он отказывался, тем больше разжигались страсти — таков был закон. Прошло несколько лет или несколько месяцев, как ему показалось (нет, по календарю все-таки несколько лет), и он забыл свое обещание и согласился. К тому времени он многое забыл из своих обещаний.

Дверь отворилась, и вошел Сережа. А может, и не Сережа. Может, двойник или тройник.

— Ну, как вы? — спросил лже-Сережа.

— Ничего.

— Ну, а вообще?

— Тоже ничего.

— Вот и хорошо... Наш просит привести вас в павильон. Пойдем.. с заднего хода.

И засмеялся.

И он понял, что это все-таки был Сережа.

В год, когда они встретились, она закончила среднюю школу и не попала в институт. Она куда-то устроилась на работу (ему так и не сказала — куда). Потом он узнал, что она занимается велосипедом, побила какой-то рекорд, ее включили в команду и все время возили на сборы и на соревнования... Но тогда она ему ничего не говорила об этом. Она почему-то стеснялась велосипеда. Он видел только, что она все время куда-то торопится, улетает, прилетает и снова улетает. Так они встречались, торопились, и рядом всегда было расставание.

В павильоне Сережа оставил его у дверей и ринулся вглубь.

Огни были погашены. Режиссер сидел у камеры и страдал.

— Привел,— сказал Сережа.

Режиссер даже не обернулся.

— Сережа, где текст? Где его замечательный текст? Найди-ка эпизод «Длинный день».

Сережа протянул ему нечто грязное, исчерканное, и Режиссер углубился в чтение, иногда бормоча текст себе под нос.

В том самом их длинном году был их самый длинный день. День, когда они были счастливы.

Дай Бог один такой день в целой жизни. У него был этот день, так что ему уже ничего не страшно... Или — все страшно после такого дня.

— Я не опоздала?

В тот день она подъехала на грузовике.

— Я с аэродрома. Грузовичок подвернулся.

— Почему ты никогда не смотришь мне в глаза? Ты что, стесняешься меня? До сих пор не привыкла ко мне?

— Я, да?

— Нет, я.

— Ха-ха-ха!

— Ты знаешь, у меня завтра весь день свободный.

— Весь, да?

— А ты, конечно, занята?

— Ой, не тяни так противно слова. Занята, не занята... все в порядке.

— Нет, ну если ты...

— Все! Все! Свободна, и хватит! Представляю, как ты устаешь от моей глупости.

— Девушка сегодня очень красивая, думаю я себе.

— Ха-ха, издеваешься, ну все, буду молчать.

Режиссер (все так же, не оборачиваясь) начал читать вслух сценарий:

— «Я, да?.. Нет, я. Ха-ха-ха!.. Весь, да?.. Думаю я себе...» Боже мой, идиотизм! Идиотизм!.. Что у нас потом?

— Эпизод «Ресторан»! — веселился Сережа.

— Знаешь, я сегодня решила удивить красотой

любимого мужчину — сама завилась и, чтобы не испортить прическу, просидела в кресле всю ночь. Ха-ха! Я когда в хореографический ходила, у меня был точно такой же случай... Слушай, а я ведь хорошо танцую! Сходим в ресторан какой-нибудь? Я хочу с тобой в ресторан.

— Актрису на площадку! — крикнул Режиссер.

— Актрису на площадку! — заорал Сережа.

— Репетиция со светом!

— Ставьте свет! — буйствовал Сережа.

— Столик не поменяли?! А я просил: поменяйте этот столик для ресторана! Поменяйте этот столик, похожий на гроб! Но у нас бессмысленно просить! — страдал Режиссер

Они пошли тогда в «Прагу». Все было удачно — они выстояли очередь, заняли столик на двоих. Танцевала она божественно, и все ее приглашали, а она отказывалась.

— Давайте массовку! Танцующие пары! Массовка! — кричал Сережа.

— Не надо! Не надо массовки! Надо столик для ресторана сначала поменять! Если в следующий раз...

— Будет столик,— светло сказал Сережа.

— ... я повешу тебя тогда за твою верткую задницу!

На площадке появились несколько молодых людей крайне печального вида. Женщина с никаким лицом дала знак, и «танцующие пары» начали свой танец.

— Не надо сейчас танцев! Я должен сначала решить, что нам снимать! Говенный сценарий!

Говенный столик! Жизнь не удалась!

Печальные молодые люди танцевали.

Он хотел ее поцеловать, когда они танцевали, но она отвернулась.

— Я поняла, что ты делаешь это оттого, что я нравлюсь другим...

Она все всегда понимала. Они много танцевали в тот вечер, а потом перед закрытием она исчезла на десять минут, заявив, что пошла причесываться, и вернулась, сияя круглыми глазами.

— Все. Идем домой.

В кулаке у нее был скомканный счет.

— Это я для независимости, чтобы легче было потом от тебя уйти...

Потом они пришли, и наступила ночь.

— Уберите пары! Пары уберите!

— Ребята, стоп! — орал Сережа.

На площадку уже вывели Актрису — очередная женщина с никаким лицом вела ее за руку... Люди здесь опасно двоились.

— Мы начнем снимать, наконец? Я уже три часа на студии,— сказала Актриса.

— Если вы спешите — вам надо сниматься не у меня! Я не спешу! Эпизод «Ночь»! Пересъемка! Только ваш текст! Читайте текст, Сережа! У нас девушка спешит! Тишина в павильоне! Сережа! Я жду! Читаем вслух гениальный текст!

Сережа вынул очередной грязный ворох бумаги и объявил:

— Ремарка автора: «Она безумно и страшно раздевалась»...

— Как она раздевалась?

— Безумно и страшно.

— Дальше! Текст!

Сережа читал с выражением:

— «Только не засыпай! А то когда ты закрываешь глаза, я боюсь, что тебя нет, что ты умер. Я все время боюсь за тебя теперь. Нет, конечно, спи, ты устал... ну конечно, спи! У меня такая к тебе сейчас нежность, до слез, до самой боли! Она шептала бессвязно, торопливо, слова сливались, она плакала...»

— Что она?

— Плакала.

— Ага? а слова сливались ... Дальше этот замечательный текст.

— «Помнишь, ты мне сказал, чтобы я за тебя молилась немножечко. Потому что у тебя какие-то важные дела происходят... Я помаливаюсь все время, чтобы дела твои были великолепны... «Молись за меня, бедный Николка...»

— Кто молись?

— Бедный Николка ...

— Дальше.

— «И такая к тебе нежность! И жжет напропалую!»

— Чего жжет?

— Напропалую.

Режиссер развел руками и опустил голову на руки.

Она безумно и страшно раздевалась. И потом уже шептала ему:

— Только не засыпай! А то когда ты закрываешь глаза, я боюсь, что тебя нет, что ты умер. Я все время боюсь за тебя. Конечно, спи, ты устал... ну, конечно, спи! У меня такая к тебе сейчас нежность, до слез, до самой боли! Помнишь, ты мне сказал, чтобы я за тебя молилась немножечко, потому что у тебя какие-то важные дела сейчас происходят... Я помаливаюсь все время, чтобы дела твои были великолепны. Ха-ха! «Молись за меня, бедный Николка». Представляешь, летим мы на соревнования, высоко — и молитва девушки ближе к небу... Нет, серьезно, я все время о тебе вспоминаю. Кажется, я все-таки впаду с тобой в рабство. Но ничего, когда это случится, сама уйду, вот увидишь... Ужас! Ужас! Ужас! И такая к тебе нежность! И жжет напропалую! А утром я всегда разговариваю с тобой... Ты улыбаешься?.. Ну-ка...— она провела пальцем по уголкам его рта.— Меня не проведешь... ну не надо... А ты заметил, что я стала меньше хихикать с тобой? Потому что есть закон: если два человека связаны и один из них смеется — другой в это время плачет. Потому что они — одно целое. Поэтому теперь я на всякий случай хихикаю поменьше...

— Ну и что будем делать? — сказал Режиссер.

— Это вы мне? — спросила Актриса.

— Это я небу,— сказал Режиссер.

— Федор Федорович, а может, снимем ее голой? — веселился Сережа.

— Не надо голой! Голой не надо!

— Но у Бертолуччи...

— Не надо Бертолуччи! Бертолуччи нам не надо! Что у нас дальше?

— Эпизод «Утро понедельника».

Утром он проснулся и сразу увидел ее. Она стояла у стены, на нее падало солнце, и он подумал впервые: «А я ее люблю».

— Ты не останешься?

— Ты хочешь, чтобы я осталась?

— Ну, если тебе нельзя...

— Ой, ну при чем тут можно-нельзя...

— Да, я хочу, чтобы ты осталась.

— Хочешь, да? Ну тогда я, пожалуй, останусь...

— Я придумал! — сказал Оператор.— Грандиозный переход к утру! Значит, утром он просыпается, видит ее... так, да? — и он зашептал что-то на ухо Режиссеру: — Гениально, да? И сразу — парк...

— Главное — как можно меньше идиотского текста!

А потом был парк, жаркий весенний день, и она двигалась в этом солнечном дне... и солнце на его ладони, когда она по ней гадала, и солнце в уголочке ее рта, и ощущение радостного, длинного, уверенного счастья, потому что тогда он еще верил, что самое настоящее счастье еще только будет... а думать так — тоже счастье!

Он целовал ее, а она вырывалась и все говорила:

— Не надо! Ну что хорошего!

— Сережа, я жду! Текст!

— Но вы же сказали — текста не надо...

Режиссер сумрачно посмотрел на него, и Сережа начал читать:

— «К вечеру они остались без денег. Дело было перед стипендией. Они сдали бутылки, сосчитали всю мелочь и купили колбасы, хлеба и пива...» — здесь Сережа остановился и грозно заорал в мегафон: — Пиво-колбаса для эпизода!

— Куплено, куплено,— сказала Женщина с никаким лицом.

Сережа разочарованно продолжил читать:

— «Они пили холодное пиво. Луч заходящего солнца пробил маленькую комнату. Красный шар грозно стоял над домами, но прохлада уже спускалась на город...»

— Так,— сказал Режиссер и начал прохаживаться вдоль стены.— Так...

На стене была народная надпись: «Начальник 2-го участка 3-го блока Вася — педораз». Народную мудрость Сереже было велено закрасить еще на прошлой неделе, но сейчас Режиссер ее не увидел — его посетило вдохновенье.

— Так...— повторял он самозабвенно и обратился к Оператору: — Значит, он смотрит на нее, а она, как всегда, торопливо отвернулась. Он дотрагивается до ее щеки кончиками пальцев. Она, не оборачиваясь, медленно начинает тереться щекой о его пальцы. Потом она отодвинулась и...

— Здесь написано: «Она не отодвинулась»,— радостно сказал Сережа.

Она не отодвинулась, а все продолжала касаться щекою его руки.

— Знаешь, сегодня в парке я вдруг подумала: вот когда-нибудь мы станем с тобою старичка-

ми и будем вспоминать об этом дне... Глупость! Глупость! Ни слова умного не могу с тобой сказать! Что за черт! Без тебя я с тобою так лихо разговариваю...

В тот вечер — в самый прекрасный их вечер — она много плакала. Плакала, когда он целовал ее и когда шептал ей что-то. А он никак не мог понять, почему она плачет.

— Ну что ты... ну все ведь хорошо... ну что? Что?

— Не знаю... Мне хочется почему-то, чтобы сейчас был снег... и я нырнула головою в этот снег, и только ноги мои оттуда торчат... жа-алкие...

Потом она вдруг вскочила и забегала по комнате, смешно мотая головой, смахивая слезы и приговаривая: «Надоело, надоело...»

Потом вдруг остановилась и добавила:

— Совсем сдает девушка, пора уходить от тебя.

— Прекрасно! — Режиссер торжественно обратился к Оператору: — Прекрасно! Все это фуфло, парк и все эти бутылки пива... всю эту муру...

— К черту! — догадливо сказал Оператор.

— Пива не надо! — прокричал Сережа.

А потом наступило их второе утро (утро понедельника), и самый длинный день закончился. Он не очень хотел ее провожать: ему нужно было идти в университет, и вообще... Конечно, он показал, что собирается ее проводить: снял плащ с вешалки.

— Нет-нет, не надо, я не хочу... Не хочу, чтобы ты меня провожал.

Он удивился. Он тогда еще не знал, что она чувствовала все, что происходит с ним. Потому что она его любила.

— Сережа, читай конец эпизода «Утро понедельника».

И Сережа начал читать — как обычно, с выражением — радостно издеваясь:

— «Она подошла к дверям, в дверях обернулась и засмеялась. Он так и запомнил ее — как она смеялась на фоне белой-белой в лучах солнца двери...»

— Когда ты позвонишь?

— Я не люблю звонить. По телефону все равно ничего толком не скажешь.

— Ну а как же?

— А я дам тебе сигнал. Как захочу тебя повидать, так сразу и дам...

Солнце падало ей в глаза. Она вынула темные очки, надела их и засмеялась:

— А то поймут, откуда я иду.

— Не понял: зачем у него там эти очки? — сказал Режиссер.— «Я дам тебе сигнал» — вот конец эпизода. А потом она смеется.

— И мы сразу переходим на дверь,— подхватил Оператор.— На двери солнце, она долго жмурится... И — бац! — она уже бежит по двору, как в этом японском фильме... И ее счастливый, прекрасный пробег по двору...

— Очков не надо! — объявил Сережа.

— Репетиция! — закричал Режиссер.

— Актеры, на площадку! — уже орал Сережа.

Вечером он вернулся в пустую квартиру и просто задохнулся от нежности. Он взял ее полотенце, почувствовал ее запах и понял, что сейчас заплачет. Он не представлял себе, как он мог желать утром, чтобы она скорее ушла...

Всю неделю он ждал, что она позвонит. Но она не звонила. И только через десять дней он увидел на лестничной клетке привязанный к перилам воздушный шарик.

А вечером она позвонила:

— Видишь, я не смогла не прийти. Я уже не могу делать то, что я хочу.

Они продолжали встречаться, но это были уже совсем другие, новые встречи. Он вдруг начал интересоваться, где она проводит время без него. И все время спрашивал:

— А где ты была вчера?

— Не важно, не важно...

Он узнал постепенно, что она уже не занимается велосипедом, ушла с курсов подготовки в институт и работает в Доме моделей манекенщицей.

— Хожу по язычку. Язычок — это место, где мы расхаживаем.

Он очень расстроился и начал страстно объяснять ей, какое это ужасное место — Дом моделей (хотя никогда там не был).

— Это вертеп!

— Я никогда, ничего не буду тебе рассказывать...

Он пришел в Дом моделей, уселся в заднем ряду, смотрел, как она выходила в ослепительном платье

(туалет для новобрачных), и вдруг понял, что у них изменилось: пропала та счастливая легкость, та радость необязательности...

Теперь он хотел все знать о ней, и злился, и ревновал, если не знал.

Актрису опять вывели на площадку.

— Надеюсь, мне хотя бы в минуту съемки скажут, что говорить! Вы все время меняете текст!

— Милая, хорошая, добрая, забудьте, что у вас дурной характер и слушайте сюда! — кричал Режиссер.— Значит, идете, идете, идете от него! И вдруг у вас будто вырвалось: «Я тебя люблю!» И все! Поняли? Люблю! И все! И никаких его идиотских слов! Репетиция!

— Тишина! — заорал Сережа.

— Тишина,— повторили Женщины с никакими лицами.

— Мотор!

— Кадр 333, дубль 1.

— Я тебя люблю!

— Стоп! Нет! Нет! — страдал Режиссер.— Соберитесь! «Люблю» — это главное слово человечества! Это — глыба! Ради этого слова — все! Все предательства, все убийства, все подвиги! Ну! Ну, родная! Соберитесь!

— Просто я хочу знать, где ты сейчас работаешь. Это естественно.

— В Доме моделей.

— Врешь! Вчера я случайно зашел в Дом моделей...

— А я все думаю себе: кто такой знакомый в последнем ряду ...

— Но вчера мне сказали, что ты совсем ушла из Дома моделей! Мне наплевать, где ты работаешь, мне неприятно, что ты мне врешь!

— Есть такая передача — «Хочу все знать». Один мой знакомый называет ее «Хочу хоть что-нибудь знать».

— Меня не интересуют твои дурацкие знакомые с кретинскими фразами! Где ты проводишь дни? Где ты была, например, сегодня?

— Сегодня я ходила с одним человеком и покупала мыло его маме ко дню рождения. Он мой старый друг... и он попросил меня.

— Меня не интересует сегодня! Где ты вообще работаешь? Где? Где?

— На меня нельзя кричать, а то я уйду.

— Перестань паясничать! И перестань врать! Раз и навсегда! Я не хочу, чтобы ты...— он хотел сказать — «шлялась»,— была черт знает где! Я не хочу слышать про твоих кретинских знакомых! Ты... ты...

Она тихо-тихо ахнула и зашептала:

— Как же? Ты что?

— Тишина!

— Попробуем еще раз снять!

— Мотор!

— Кадр 333, дубль 2.

И Актриса рванулась к камере:

— Я тебя люблю!

— Стоп! Назад! Еще раз! Съемка!

— Тишина в павильоне!

— Мотор!

— Кадр 333, дубль 3.

— Ну?!

Актриса не двинулась с места.

— Ну?! Ну?! — вопил Режиссер.

И, не выдержав, Женщина с никаким лицом истерически выкрикнула:

— Я тебя люблю!

— Стоп! Стоп!

Она плакала.

— Как же ты мог... Все правильно! Это мне за все! Ну конечно, если я с тобою, значит, я... Боже мой! Как ты обо мне думаешь! Спасибо! Будь я проклята! Спасибо тебе!

Ее било. Начался взрыв, рожденный из пустяка. Все, что накопилось, молчало, распирало,— рванулось наружу. Она плакала страшно, горько, она кричала...

— Я тебя люблю! Еще раз! Начали! Съемка!

— Тишина!

— Мотор!

— Кадр 333, дубль 4.

— Я тебя люблю!

— Кадр 333, дубль 5.

— Я тебя люблю!..

— Я тебя люблю!

— Я тебя люблю!!!

Он целовал ее, просил прощения и был счастлив, потому что понимал, что она его любит.

Она долго счастливо всхлипывала, потому что она тоже понимала, что он ее любит.

— Не буду я с тобою, клянусь. Сегодня мы в последний раз. Как же ты относишься ко мне? Ну что за

дела такие! Все на меня кричат — мама, ты, бабушка Вера Николаевна, хоть удавись, честное слово!

Потом они лежали в кровати, и он спросил:

— Ну и где же ты все-таки работаешь?

Она засмеялась.

— Знаешь, что я сейчас вспомнила? В детстве мама меня наказывала — ставила в угол на коленки, на горох. Сколько я там простояла! Но зато так было хорошо, когда после всех слез мама меня прощала, и мы мирились. Помнишь, ты рассказывал что кто-то очень умный сказал ... «Надо возделывать свой сад»... Каждый человек должен трудиться физически, только труд физический, тяжелый дает покой душе и верную точку зрения на жизнь... А еще ты цитату мне сказал из Толстого, помнишь?

Он с ужасом вспомнил. Да, он разговаривал с ней как с собой, то есть попросту размышлял вслух, и оттого нес много бреда. Он забывал, что она ему верила, потому что думала: он знает. И еще он вспомнил, как однажды встретил ее в библиотеке Ленина с тетрадочкой под мышкой. Она попыталась спрятаться за колонну, но он извлек ее оттуда. Она все равно убежала, а потом объясняла:

— Я просто не была готова к встрече с тобой. Когда иду к тебе... мне надо немножко собраться. И вообще, я могу настраиваться только на что-нибудь одно...

Вот тогда он узнал у нее и про тетрадочку.

— Я после твоих разговоров всегда иду в библиотеку и читаю все, о чем ты рассказываешь. И записываю все это в тетрадочку... Я таких тетрадочек

много исписала, я всегда их на ночь перечитываю — умнею...

— Ну и где же ты работаешь? — спросил он почти со страхом.

— Только ты не смейся, слово?.. Нет, ты скажи, скажи!

— Слово.

— Я устроилась землекопом в Ботанический сад. Там бригада, прекрасные люди, цветы сажаем. Представляешь: весна, дымок от костров... Ты посмотри, какие у меня стали руки... Хочешь, потру о щечку? Чувствуешь? Чувствуешь?

Потом она обнимала его своими новыми, шершавыми руками, и он с ужасом сказал вдруг:

— Я тебя люблю.

— Ну что, единственная и прекрасная, ты можешь сыграть простую сцену: «Я тебя люблю»? Можно или нельзя? У тебя было что-нибудь подобное в жизни?!

Актриса молча ушла из павильона.

— Нахалка! — сказала Женщина с никаким лицом.

— Отдохнем! — сказал Режиссер.

— Федор Федорович,— сказал Сережа,— помоему, ей не нравится парик.

— Перерыв для всех! — сказал Режиссер.

Погасли юпитеры, и Режиссер подошел к нему:

— Маска, я тебя знаю. Я нашел гениального актера на роль контролера.

— Какого контролера?

— Я тебе не сказал? После первой ночи они у тебя гуляют по парку, так вот... Представь: они за-

ходят в комнату смеха, а там контролер... Да ты не бойся, это ничего не испортит, иначе все получается, как ты любишь — нестерпимо сентиментально... Кстати, почисти язык. Ты видел Актрису. Ну можно с таким лицом произносить все твои «вло-палась», бессмысленные междометия, идиотски переспрашивать и хихикать?

Она переспрашивала, потому что волновалась, потому что...

— Кстати, эпизод с Ботаническим садом мы все равно не успеем снять — ушла натура... Я его объединил с эпизодом в театральной кассе. Грандиозный эпизод! И то, что ей деньги не пришли, — это такая правда!.. И эти твои грустные грузины в кепках.. Это на сливочном масле!

В Ботаническом саду окончился сезон, и она устроилась в театральную кассу продавать билеты. Она с энтузиазмом рассказывала покупателям о спектаклях, объясняла, рекомендовала — и около ее кассы толпился народ и разгуливали молодые грузины в огромных кепках, введенные в заблуждение ее общительностью. В кассе у нее случились денежные неприятности, и она вскоре уволилась. И целый ряд вещей навсегда исчез из ее гардероба.

— Как так можно? Представляешь, подходит женщина, интеллигентная, с ребенком на руках, и говорит, что ее обокрали, а ей надо лететь с больным ребенком во Владивосток. И что она мне оттуда тотчас же вышлет... Нет, как так можно... Разве ты не поверил бы?

Я ей отдала из выручки. А может быть, с ней просто случилось несчастье и она еще вышлет?

Но деньги не пришли, а так как адреса женщины она, конечно, не взяла, история эта осталась невыясненной.

— Кстати, я вспомнил ту реплику,— сказал Режиссер.

— Какую реплику?

— Ну ту, которую я хотел, чтобы ты вставил... Значит, она звучит так: «А существует ли любовь, спрашивают пожарники». Хорошо, да? Почему смешно — непонятно, но хорошо... Да, еще... Эпизод с плащом улетел ... Очень сентиментально...

Да, еще с плащом... Наступила теплая осень. Она разгуливала — старое кожаное пальто через руку — в единственном оставшемся после театральной кассы туалете.

— Туалет — в нем куда хочешь: и во дворец, и на паперть.

Вся зарплата у нее уходила на бесчисленные мелкие подарки — ему, сослуживцам, маме. Она дарила ножички, торты, цветные клеенки, синтетических медведей, чай в коробках — и с трудом дотягивала до зарплаты. А в это время его важные дела наконец-то принесли результат — он получил премию за рассказ на конкурсе журнала « Огонек». Он решил сделать ей подарок. В университетском общежитии по случаю продавали белый французский плащ, и он с торжествующим видом принес плащ ей. И она заплакала.

— Как же ты мог! Неужели я такое ничтожество... неужели без французского плаща я — ничто? Я ведь с тобою без этого проклятого плаща... Не надо меня обижать, ладно? Слышишь? Не надо никогда меня обижать!

— Очень сентиментально,— сказал Режиссер.— Как ты это дело любишь... Но все это мелочи. А с главным-то я от тебя не отстану, парень.

И добавил весело:

— Почему она погибла?

— Как с гостиницей?

— Бродецкий занимается... Почему она погибла?

— Знаешь, я поступила в «Аэрофлот».

Там ее тоже очень уважали. Но она все чаще приходила печальная.

— Меня нет на свете! Что я есть, что меня нет — все равно. Я ведь абсолютно бесполезный человек. Я даже сходила в «Мосгорсправку». Я взяла о себе справку, чтобы удостовериться, что я — есть! Что ты молчишь?

В это время решались его важные дела, ему было не до нее, и он слушал все это невнимательно и вяло, давал какие-то советы... После его премии она начала читать все газеты от корки до корки, все искала статью о его рассказе. И все удивлялась и обижалась, почему не пишут о таком интересном рассказе, о таком выдающемся литературном событии — о третьей премии на конкурсе журнала «Огонек». Его рассказ она выучила наизусть и разговаривала с ним только цитатами.

— «На столе лежали два комочка — носки ребенка». Ха-ха! Комочки! Потрясающе! Комочки, комочки...

Однажды они шли по улице, она вдруг остановилась и сказала тихо и торжественно:

— Я чувствую — к тебе идут успехи!

Она и это почувствовала — в тот год у него было много успехов. Он все чаще встречался с ней днем, чтобы вечерами видеться с важными людьми. Люди эти прежде его не знали, и оттого, что теперь они его знали и даже встречались с ним, он пребывал в щенячьем восторге. Это древняя, достаточно обычная и много раз описанная история. И она со своей страшной интуицией уже все чувствовала.

— Приветик! Я на секундочку к тебе, очень спешу! Да и у тебя, наверное, тоже делишки?

Так она теперь говорила, приходя к нему на свидание. Она ждала, он молчал. Он был ей благодарен, потому что в это время он уже познакомился с другой. Другая была очень красива, умна и великолепно училась в университете. И вот это совершенство его полюбило. Он так был потрясен случившимся, что не успел хорошенько разобраться, полюбил ли он. Впрочем, это подразумевалось само собой. И это тоже древняя, достаточно обычная и много раз описанная история.

— У тебя кто-то есть. Только молчи! Ты когда ко мне прикоснулся... после нее...— она засмеялась.— Я все поняла. Сразу. Я даже могу сказать, какого она роста. И какая у нее грудь. С интуицией у девушки все в порядке, это ей вместо ума... Как

осязание у слепых... Ты не грусти... я была готова к этому с первого денечка. Девушка держала себя в мобилизационной готовности. Это тебе...

Она протянула ему открытку. На открытке было написано «С Новым годом», изображен счастливо-лукавый кот, а под ним стихи о том, что этот кот — бархатный живот хотел съесть мышек в серых пальтишках, но они от него ловко убежали.

— Кот — бархатный живот — это ты... С Новым годом, удачи тебе! Я буду помаливаться за тебя...

Но и на этот раз уйти она не сумела. Он несколько раз встречал ее у своего дома — она тотчас перебегала на другую сторону. Он понимал, что она нарочно так делает, чтобы он пошел за нею. Но ему не хотелось, и он делал вид, что не замечает ее. Тогда она написала ему отчаянное письмо и попросила увидеться.

Было тридцатое декабря. Он уезжал в Крым, где они решили встретить Новый год вместе с красавицей студенткой... Когда она позвонила ему и, задыхаясь, нехорошо спросила, получил ли он ее письмо, он, неприятно мучаясь, попросил ее прийти на вокзал (только не к поезду, а к метро — за час до поезда).

У метро в назначенное время ее не оказалось, и он с облегчением тут же пошел прочь. Тогда она вышла из-за колонны в своем старом кожаном пальто. Она вдруг показалась ему совсем некрасивой, даже какой-то неряшливой.

— Я оказалась твоим рабом... так не хотела, но оказалась. Не дай Бог тебе узнать, что я пережи-

ла... ты не выдержишь. Но я надеюсь, что в мире справедливости нет — и все у тебя по-прежнему будет отлично. Потому что я хорошо отношусь к тебе! Я понимаю, ты сейчас хочешь, чтобы я побыстрее ушла.. Ты — нормальный и оттого мало что можешь понять.. А надо бы, ведь ты писатель... Я желаю тебе... Я желаю тебе... Я... Я...

Она говорила еще что-то ужасное, но все это показалось ему тогда ненатуральным, истерическим, потому что тогда он ее уже не любил.

У поезда он встретил студентку — красавицу и толпу провожающих университетских знакомых. Купили шампанское и сорок минут провели около поезда в празднично падавшем снеге, в шуме и разговорах. Когда поезд тронулся, он стоял у окна и рассеянно смотрел во тьму сквозь падающий снег.

И тогда он увидел ее. Она стояла на самой дальней платформе, у самого края. Стояла, видно, долго, и на голове у нее выросла огромная снежная шапка. Когда поезд проходил мимо, она подняла руку и махнула вслед.

Больше она не звонила и не писала. Встретил он ее только однажды...

В павильон вернулась вся толпа — съемочная группа.

Зажгли юпитеры, и опять осветился этот гигантский тусклый сарай с беспощадно обнаженными стенами, похожий на катакомбы. И совсем немножечко на ад.

И группа в беспощадном свете стала толпою забавных бесов...

Увидел он ее через два года на аэродроме в Сочи. Он сошел с самолета и шагал к зданию аэровокзала, когда увидел ее. Она бежала навстречу по летному полю, размахивая спортивной сумкой. Она совсем не изменилась и снова была (как в тот летний день) радостной девочкой.

— Привет! — она сказала это так, будто они виделись только вчера.

— Как ты живешь? — тупо спросил он.

— Живу. В институт поступила. Ты когда-то очень хотел, чтобы я поступила в институт. Я даже о тебе подумала, когда прочла себя в списке.

Ее окликнул мужчина у трапа самолета.

— Тренер волнуется... я вернулась в спорт.

— Помнишь, тогда ты сказала на вокзале...

— Тогда — сегодня, сказала — мазала... Какое все это имеет значение? Все правильно. За грехи все это было, за никчемность. Жила гадко, для себя... А надо по-другому, милый... Видишь, сбылось: стоим мы с тобой как два старичка и беседуем... А ты, кстати, не изменился — совсем мальчонка в этих джинсах. Они тебе очень идут.

Тренер опять позвал ее.

— Тишина в павильоне!

— Мотор!

— Кадр 333, дубль...

— Я тебя люблю! — крикнула Актриса.

— Стоп!

— Надо идти. Удачи тебе!

— Послушай...— начал он. (Он уже не был тогда с красавицей студенткой.) — Послушай...

— Не надо... Все у тебя будет хорошо! Я ведь помаливаюсь за тебя — всегда... Я побежала. Побежала!

Она взбежала по трапу и, обернувшись, махнула ему рукой. И исчезла в самолете.

— Я все понял — почему не получается! Великолепная моя, это — ошибка! Несравненная моя, это не надо снимать абстрактно! Будем снимать в его комнате! Осветите его комнату! Это утро! Там солнце!

И юпитеры осветили темную декорацию.

— Свет! Свет на дверь!

Господи, как все было похоже... Это был угол его комнаты, так же стояли стулья, и узкая кушетка у окна, и смешная фигурка на этажерке. И такое же солнце на стене — как в то утро самого длинного дня ... Страшно подглядывать из будущего на свою прошлую жизнь.

Режиссер подошел к нему:

— Парень, придумай реплику к эпизоду «Утро понедельника». А то как-то глупо: она уходит от него, машет ему рукой — и все. Это от бедности. Помучайся! Надо что-то очень простое... Подумай, родненький, пока мы тут ставим свет. Напрягись немного, а завтра уедешь, и снова у тебя будет море, а мы останемся тут вкалывать за тебя... Но главное за тобой: почему она погибла?

Почему она погибла?

Она погибла уже тогда, на эскалаторе, когда он увидел ее в первый раз. Как там сказано: «Мы все убиваем тех, кого любим. Кто трус — коварным

поцелуем, кто смел — клинком в руках». Но все мы убиваем тех, кого любим... Но Режиссер был прав: ее смерть он придумал в повести. Она попросту исчезла из его жизни. Он написал ей письмо, когда ему стало совсем плохо, но она не ответила. Он очень удивился — он знал, что она не могла ему не ответить.

Он пошел к ней домой. Дверь открыл мужчина. И сказали коротко:

— Такие здесь не проживают... Они уехали в другой город.

Когда он возвращался, все вспоминал человека, отворившего дверь. Как странно был одет этот человек — в белой рубашке, перечеркнутой у горла старомодной черной бабочкой... как посмотрел на него, будто давно его ждал... как суетливо, страшно сказал про ее отъезд и как поспешно, будто боясь вопросов, захлопнул перед ним дверь.

— Такие здесь не проживают... Они уехали в другой город.

Наверное, это все ему показалось, но он никак не мог отделаться от ужаса и тоски. И еще он знал: если бы она была — она пришла бы к нему! Она почувствовала бы, что ему плохо, потому что она все всегда знала про него...

И тогда ему все чаще стало представляться шоссе в горах, пылающий день и стайка велосипедисток. И поворот...

Он видел, как она лежала, у парапета, видел луч солнца на ее виске и как кружилось колесо упавшего велосипеда...

Он даже знал, как потом пошел дождь, смывая кровь с шоссе. Он так часто все это видел, что поверил в это...

— Сейчас автор скажет нам реплику! Актриса и группа — все внимаем! Тишина в павильоне!

С тех пор он влюблялся в женщин, которые были на нее похожи (точнее, вначале были на нее похожи) — милая игра в Синюю птицу

— Ну, автор! Давай! — орал Режиссер.— Реплику! Любую! В эпизод «Утро»! На ее уход! Реплику! Автор!

Он засмеялся и сказал:

— «А существует ли любовь?» — спрашивают пожарники.

104 Страницы про любовь

104 СТРАНИЦЫ ПРО ЛЮБОВЬ

Часть первая

Над сценой — светящаяся вывеска «Молодежное кафе «Комета». В кафе. Два столика. За одним столиком сидит ДЕВУШКА. Она одна. На стуле стоит ее чемоданчик. На чемоданчике — букет в целлофановой обертке. За другим столиком — ПАРЕНЬ. И он тоже один. За сценой мальчишеский голос поэта читает стихи.

МОТОГОНКИ ПО ОТВЕСНОЙ СТЕНКЕ В ОГАЙО

Мы — мотоциклисты —
Мчимся вверх,
Ввинчиваясь в стенку
Круг за кругом.
Над нами звезды,
А внизу — огонек у входа,
Так похож на червовую карту
Или — проще — на чье-то сердце.
А кругом почтеннейшая публика,
Как ей спокойно
Смотреть за пятиалтынный,

Как мчатся к звездам,
Круг за кругом,
Шальные мотоциклы,
Играя с судьбою в червовую карту.
А потом сердце у входа гаснет,
И публика расходится,
И ты говоришь мне немного устало,
Снимая со лба мокрый шлем:
— Придет время — мы станем толстыми
И будем смотреть,
Как другие мальчишки,
Круг за кругом,
Рвутся к звездам
По отвесной стенке.
Но пока...
Мы — мотоциклисты.

П о э т закончил читать стихи. Аплодисменты.

ГОЛОС ПРЕДСЕДАТЕЛЯ ОБЩЕСТВЕННОГО СОВЕТА КАФЕ. Мы обсуждаем стихи и песни «молодого, начинающего... и т.д. и т.п.» поэта Жени Даля. Кто-нибудь хочет высказаться? Ну давайте, ребятки, в бой!

ДЕВУШКА (*за столиком*). Только два слова. Можно? (*Встала.*) Мне очень понравились стихи. Большое спасибо.

Смех, аплодисменты за сценой.

ГОЛОС ПРЕДСЕДАТЕЛЯ. Еще кто-нибудь. Только помногословнее...

Молчание.

Ну, ребятки. Кто родил хоть какую-то идею?

ПАРЕНЬ. Я родил... (*Встает.*) Вызнаете... передо мной здесь выступала девушка...

ГОЛОС ПРЕДСЕДАТЕЛЯ. Ваша профессия?

ПАРЕНЬ. Анкета необязательна... Я продолжаю... Вот передо мной здесь выступала девушка... Довольно необычная. Мне даже показалось, что она...

ГОЛОС ПРЕДСЕДАТЕЛЯ. Не понял. Вы собираетесь обсуждать стихи или девушку?

Смех.

ПАРЕНЬ (*тоже усмехнулся, невозмутимо*). Нет. Стихи я обсуждать не буду. А девушка мне понравилась. Все.

Смех, аплодисменты.

ГОЛОС ПРЕДСЕДАТЕЛЯ. Ясно. С идеями у нас... не густо.. По этому печальному случаю предлагается радостная врезочка в наш вечер... Прошу!

И тотчас женский голос за сценой запел песенку. А парень преспокойно подходит к столику, где сидит девушка, снимает со стула ее чемоданчик, аккуратно укладывает на чемоданчик ее цветы и садится рядом.

ДЕВУШКА (*даже задохнулась*). Ну!..

ПАРЕНЬ. Да, такие шутки я ценил в средней школе. Думал, что вырос. Как видите — нет.

ДЕВУШКА. Но это... но.. на нас все смотрят!

ПАРЕНЬ. Несущественно. Кстати, стихи довольно дрянные. Вам всегда нравятся дрянные стихи?

ДЕВУШКА. А может быть, этот товарищ писал их от чистого сердца? Может быть, у него просто не получились хорошие?

ПАРЕНЬ. Тоже довод... Вы, видно, очень чуткая девушка?

ДЕВУШКА. А вы очень приставучий товарищ.

ПАРЕНЬ. А вам нравится, что я к вам пристаю. Красивые девушки тщеславны. У вас сегодня целый вечер будет чудесное настроение.

ДЕВУШКА (*засмеялась*). Вы... веселый товарищ.

К столику подходит спортивного вида, тщательно одетый ОЧКАСТЫЙ ПАРЕНЬ.

ОЧКАСТЫЙ (*дружелюбно*). Привет.

ПАРЕНЬ (*сухо*). Салют.

ОЧКАСТЫЙ (*обескураженный его тоном*). Ну, я к тебе лучше потом подойду.

ПАРЕНЬ. Да, лучше потом.

Очкастый уходит.

ДЕВУШКА. Это ваш знакомый?

ПАРЕНЬ. Это мой знакомый... Что же это вы одна?

ДЕВУШКА. Одна — не одна... Не все ли равно?

ПАРЕНЬ. Не все. Я боюсь, что к вам сейчас кто-то придет.

ДЕВУШКА. Чепуха какая... Я просто с аэродрома, ужасно проголодалась и зашла. (*Махнула ру-*

кой.) А! Все это не важно... Часто вы так пристаете к девушкам?

ПАРЕНЬ. Часто.

ДЕВУШКА. Не надоело?

ПАРЕНЬ. Нет... Людям моложе ста двух лет свойственна вера в «необыкновенную встречу». Без этой веры можно было бы умереть от скуки. Идет по улице человек. Упал и умер. Все думают — он от инсульта. А он — от скуки.

ДЕВУШКА (*засмеялась*). Вы невероятно веселый товарищ.

ПАРЕНЬ. Вы уже два раза об этом сказали.

ДЕВУШКА. Вы грустный?

ПАРЕНЬ. Да, я пессимист. (*Чуть насмешливо, чуть серьезно.*) Иногда вдруг отчетливо понимаешь, что жизнь проходит. И довольно быстро. Люди смешны. Вот если потерял деньги — огорчусь. А каждую секунду мы теряем секунду жизни. И ничего, не замечаем.

ДЕВУШКА. Да... Вы очень странный...

ПАРЕНЬ. Товарищ...

ДЕВУШКА (*опять засмеялась*). Вот именно, товарищ.

ПАРЕНЬ (*встал, перенес бутылку вина со своего столика*). Выпьем. По поводу моей странности.

ДЕВУШКА. А... зачем?

ПАРЕНЬ. Только не надо ханжить, хорошо?.. Кстати, это сухое вино.

ДЕВУШКА. Сухое — мокрое, не важно. Терпеть не могу, когда меня кто-то угощает.

ПАРЕНЬ. Хотите оставаться независимой?

ДЕВУШКА. Хочу!

ПАРЕНЬ. Проблема. Ну что ж... Будем пить как мужчина с мужчиной. Кончим эту бутылку — вы купите следующую. Подходит такое решение?

ДЕВУШКА (*отважно*). Подходит.

ПАРЕНЬ. Ну вот. А теперь поехали?

ДЕВУШКА. Поехали.

Он наливает.

(*Торопливо.*) Только немного. А то я рано утром опять улетаю...

Парень засмеялся.

Чего вы смеетесь?

ПАРЕНЬ. Так... Значит, то прилетаете, то улетаете? Веселая у вас жизнь. Где же вы работаете?

ДЕВУШКА. «Где», «что» — кому нужны эти уточнения! И вообще... А! Вы все равно этого не поймете.

ПАРЕНЬ. Я отлично понял.

ДЕВУШКА. Что же вы поняли?

ПАРЕНЬ. Человек — не тот, кто он есть на самом деле, а тот, кем он мечтал стать. Просто в силу тех или иных причин часто что-то не получается в жизни. А вот встретишь незнакомого человека — и ничего он о тебе не знает, и ты можешь держать себя с ним так, будто все у тебя вышло. С незнакомыми людьми легко. Вы это хотели сказать?

ДЕВУШКА Что ж, Вы ... понимаете.

ПАРЕНЬ (*так же*). Вам со мной легко?

ДЕВУШКА. А! Ерунда! Просто вы мне попали под настроение (*засмеялась*).

ПАРЕНЬ. Часто смеетесь.Вам, наверное, кто-то сказал, что у вас красивый смех. А он у вас довольно глуповатый.

ДЕВУШКА. Ну!..

ПАРЕНЬ. Простите, сорвалось.

ДЕВУШКА. Нет, это даже хорошо. Я люблю людей, которые говорят то, что думают.

ПАРЕНЬ. Налить?

ДЕВУШКА. Как мужчина мужчине... Вообще, правда, я сегодня часто смеюсь. Вы знаете, я заметила, есть какой-то закон: если плачешь, всегда потом будешь смеяться. И наоборот. Вот однажды я плакала два дня подряд. Мне это так надоело. И вот на третий день я решила: буду смеяться — и все! И целый день ходила и смеялась сквозь слезы, как идиотка... А! Странно. С той минуты, как мы познакомились, трещим, трещим...

ПАРЕНЬ. И все равно мы ничего не сможем сказать друг другу.

ДЕВУШКА. Знаете, это тоже правда. Я тоже об этом часто думаю. Хорошо бы все люди лет на пять замолчали. Вот тогда у всех-всех слов появился бы снова смысл. Непонятно? Вот когда я думаю — понятно, а говорить не умею. Юморочек один... Что вы так на меня глядите? Вообще, что вы все время улыбаетесь?

ПАРЕНЬ. Так.

ДЕВУШКА. Так, да?.. (*Чтобы что-то сказать.*) У вашего знакомого очень грустное лицо... Нет, но почему вы все-таки улыбаетесь?

ПАРЕНЬ. Так.

ДЕВУШКА. Так — не так... Я ненавижу, когда улыбаются. Вы... вы просто мне попали под настроение.

ПАРЕНЬ. Нет. Я вам понравился. Еще когда там сидел и на вас смотрел — уже понравился. Да?

ДЕВУШКА. А! Да — не да... Чепуха все это.

ПАРЕНЬ. Понравился?

ДЕВУШКА. Нет... Ну понравились! Ну и что с того! Мало ли кто мне нравится...

ПАРЕНЬ. На будущее. Мы постараемся говорить друг другу только правду. Этого еще никто не сумел. Идет?

ДЕВУШКА (*засмеялась, потом спохватилась и... опять засмеялась*). Буду смеяться своим глуповатым смехом... Кстати, неплохо бы узнать, как вас зовут.

ПАРЕНЬ. Неправда первая. Вы давно хотите, чтобы я вам сказал это. И вас ужасно бесит, что я молчу. Да?

ДЕВУШКА. Нет!.. То есть — да.

ПАРЕНЬ. Как вас зовут?

ДЕВУШКА. Наташа.

ПАРЕНЬ. А меня — Евдокимов.

ДЕВУШКА. Как?

ПАРЕНЬ. Евдокимов. Я люблю, когда меня называют по фамилии.

Заиграли танго.

Вам очень хочется, чтобы я вас пригласил сейчас танцевать?

НАТАША. Нет... То есть хочется. Ну хочется. Что тут особенного? Я люблю, когда меня приглашают танцевать, вот и все.

Они танцуют.

Давно не танцевала... Не надо. Не смотрите на меня все время... Мы сегодня будем здесь недолго, хорошо?

ЕВДОКИМОВ. Плохо... Когда мы с вами встретимся?

НАТАША. Не знаю. Завтра я, возможно, улетаю. Завтра или через несколько дней.

ЕВДОКИМОВ. Вы не улетайте завтра. Улетайте через несколько дней.

НАТАША. Это от меня не зависит.

ЕВДОКИМОВ. Все зависит от нас. Если вы очень захотите...

НАТАША. Вообще, действительно все зависит от нас.

ЕВДОКИМОВ. Так вы хотите встретиться со мной завтра?

НАТАША. Ну, ладно. Хочу! Ну и что с того? Ну почему вы все время смотрите... А!

ЕВДОКИМОВ. Здорово у вас звучит это «а!».

НАТАША. Это раньше, когда мне мама что-нибудь неприятное говорила, я всегда хмыкала. Потом мы решили покончить с хмыканьем, и я ей теперь на все неприятное говорю «А!» Ну не смотрите на меня все время!

ЕВДОКИМОВ. Буду смотреть. Здорово, что вас зовут Наташа.

НАТАША. «Здорово», да? Почему «здорово»?

ЕВДОКИМОВ. Не знаю. Здорово — и все!

НАТАША. Чепуха какая... Ну не смотрите на меня так.

ЕВДОКИМОВ. Буду. У вас невероятные глаза. У вас желтые глаза. У вас, наверное, лучшие глаза в СССР.

НАТАША. Желтые, серые, зеленые... (*Вдруг кокетливо.*) Вот один человек называет меня лучшей девушкой Москвы и Московской области.

ЕВДОКИМОВ. Он дурак. Вы лучшая девушка в СССР.

НАТАША. Не надо смотреть.

ЕВДОКИМОВ. Буду... (*Тихо.*) Вы хотите, чтобы я вас поцеловал.

НАТАША. Нет!.. То есть... А! Хочу — не хочу... Нет... это кошмар какой-то.

Одинокий столбик с шашечками. Надпись: «Стоянка такси». Прямо на тротуаре, под столбиком, сидит ПАРЕНЬ. Он что-то чертит в записной книжечке. Подходят ЕВДОКИМОВ и НАТАША.

НАТАША (*парню на тротуаре*). Простите, вы на такси?

ПАРЕНЬ (*с достоинством*). Нет, я на троллейбус.

НАТАША. Разве еще ходят троллейбусы?

ПАРЕНЬ. В час двадцать «букашка» по кольцу. Таксистов подбирает.

НАТАША. Сколько сейчас?

ПАРЕНЬ (*услужливо*). Двенадцать сорок.

НАТАША. Мне осталось спать шесть часов.

Евдокимов чуть обнял ее. Она отстранилась.

ЕВДОКИМОВ. Ты не бойся. К часу ты будешь дома.

НАТАША. Я не боюсь — ты сам не бойся.

ЕВДОКИМОВ. А знаешь (*показывает на виднеющийся силуэт дома*), это мой дом.

НАТАША (*будто не слыша*). Ну ни одной машины. Вот всегда так, когда тебе нужно что-нибудь позарез...

ЕВДОКИМОВ. А вон мое окно... Шестой этаж, первое справа.

НАТАША (*неловко, чтобы что-то ответить*). У вас темно.

ЕВДОКИМОВ. Просто нет никого в квартире. Я там один сейчас живу.

Молчание.

ПАРЕНЬ. Прости, закурить не найдется?

ЕВДОКИМОВ. Найдется. (*Передавая сигарету, взглянул в записную книжку парня.*) Мыслишь? Не так уравнение написал, Топтыгин. (*Наклонился, что-то черкнул в записной книжке парню.*)

ПАРЕНЬ. Понял. (*Доброжелательно.*) Стрельни мне еще сигарету, про запас.

Евдокимов протягивает сигарету.

(*Словоохотливо.*) Начал боксом заниматься, выбросил сигареты. Смех: девушку проводишь, пока сидишь здесь, ждешь «букашку», так закурить разбирает — обязательно согрешишь. Ничего, с понедельника начнем жизнь сначала.

ЕВДОКИМОВ. Ага. Пятьдесят процентов людей каждый понедельник начинают жить сначала.

Появляется веселый ГРАЖДАНИН с цветком георгина.

ГРАЖДАНИН. За Саврасушкой очередь, рыбочки мои, воробушки? Кто последний?

ЕВДОКИМОВ. Мы.

ГРАЖДАНИН. Все Саврасушки в парк едут... Храп-храп делать... Да здравствует ночь — друг молодежи. Ночью нахально блестят скамейки и по пустым улицам пощелкивают каблучки. «А я усталый старый клоун... и в испуге даже дети убегают от меня». (*Строго.*) О прекрасная наша молодежь! Вы не подумайте, что я пьян. Не подумали?

ПАРЕНЬ. Ну что вы.

ГРАЖДАНИН. Просто я — балалаечник. Представляете, в двадцатом веке быть балалаечником? Ужас. Каждый вечер я порчу настроение современной публике. Трагедия. Ну можно быть после этого трезвым? Ведь правильно? Ведь точно?

ПАРЕНЬ. Несомненно.

ГРАЖДАНИН. А я трезв. (*Вынимая из-под пальто четвертинку.*) Малыш еще не начат. (*Парню.*) «Бип-бип-бип... я Земля, ищу спутника».

ПАРЕНЬ. Нет, мил человек, поздновато.

НАТАША (*Евдокимову*). Всегда так, когда машина нужна позарез...

ЕВДОКИМОВ. Есть предложение...

НАТАША. Не надо никаких предложений.

ГРАЖДАНИН (*Евдокимову*). Можно к вам обратиться?

ЕВДОКИМОВ. Нет, нельзя.

ГРАЖДАНИН. А я нарушу и обращусь. (*Протягивая Наташе цветок.*) Возьмите этот георгин. Как дань восхищения...

НАТАША. Спасибо. (*Вынимает из чемоданчика яблоко.*) А вы возьмите яблочко. Очень хорошее, из Ташкента.

ГРАЖДАНИН. Прекрасно... Вся история человечества началась с яблока. Прекрасно... Вы добрая. А он злой. Вы от Чернышевского. А он от Достоевского. Я тоже добрый. А мир не приемлет доброту. Вот я говорю: «Дайте мне большое, чистое, настоящее». А мне отвечают: «Возьмите слона и вымойте его в ванне». Вот тебе большое, чистое, настоящее. Уйти из мира, рыбочки мои, воробушки?

ПАРЕНЬ. Сделайте одолжение.

ЕВДОКИМОВ (*тихо*). Слушай, Наташа...

НАТАША. Нет, нет!

ЕВДОКИМОВ. Ну перестань. Пойдем ко мне, и от меня вызовем такси по телефону.

НАТАША. Я не спешу!

ЕВДОКИМОВ. Ну, пойдем. Ты с трудом держишь этот чемодан. Я все могу вытерпеть в жизни, только не ханжество! Ведь днем ты бы пошла?

НАТАША. Но я не спешу.

Шепотом, бессвязный разговор.

ЕВДОКИМОВ. Ты спешишь.

НАТАША. Нет.

ЕВДОКИМОВ. Боже мой, вызовем по телефону. Я прошу...

НАТАША. Не надо!

ЕВДОКИМОВ. Ну, по телефону. Идем!

НАТАША. Идти, да?

ЕВДОКИМОВ. Да, туда.

НАТАША. Туда идти, да?

ЕВДОКИМОВ. Туда.

И они уходят.

ГРАЖДАНИН. Тысячелетняя поэма. И он увел ее, как Ромео увел Джульетту... как Фауст увел Маргариту... и еще кто-то увел еще кого-то... Ведь правильно я говорю, ведь точно?

ПАРЕНЬ (*равнодушно*). Несомненно.

ГРАЖДАНИН. Эй, таксист! Саврасушка! Саврасушка! (*Бросается за проезжающей машиной.*)

Квартира Евдокимова. Очень пустая комната.
НАТАША и ЕВДОКИМОВ.

ЕВДОКИМОВ (*говорит по телефону*). ... Дом семь, квартира пять.

ГОЛОС ИЗ ТРУБКИ. Когда нужна машина?

ЕВДОКИМОВ. Сейчас.

ГОЛОС. Заказ пятьдесят семь. Позвоним в течение часа.

Евдокимов вешает трубку; глядит на Наташу. Она сидит не раздеваясь, в плаще, на краешке кресла.

ЕВДОКИМОВ. Конфеты на столе.

НАТАША. Спасибо.

Молчание.

ЕВДОКИМОВ. Вы меня сейчас очень боитесь?

НАТАША. Почему? Вы ведь не волк.

ЕВДОКИМОВ. Да, я тоже так думаю... Вы можете снять плащ... А то в этом есть нечто вокзальное.

НАТАША. Да нет, я так посижу.

ЕВДОКИМОВ. Смешно. Мы опять перешли на «вы».

Молчание.

НАТАША (*стараясь весело*). Почему смешно? Я до сих пор не знаю вашего имени.

ЕВДОКИМОВ. Это не бог весть какая потеря. Меня зовут довольно нелепо... Видите ли, я появился на свет, когда моя мать защищала кандидатскую... У нее было плохо с юмором... Короче, меня назвали Электроном. Электрон Евдокимов.

НАТАША (*смеется*). Смеюсь глуповатым смехом.

ЕВДОКИМОВ (*без юмора*). Зря смеетесь. Может быть, человечество выучит наизусть это странное имя.

НАТАША. А вы все-таки страшно смешной товарищ, когда говорите самоуверенным тоном. Просто не тон, а юморочек.

ЕВДОКИМОВ. Вы лучше ешьте конфеты.

Молчание.

Мне подарили эту коробку на день рождения. Я сех угощаю, а она никак не кончается.

НАТАША (*усмехнулась*). Ну если... всех угощаете — я возьму.

ЕВДОКИМОВ. Да вы снимите, наконец, плащ.

НАТАША. Ничего, ничего.

ЕВДОКИМОВ. Вы хотите спросить, где мои родители?

НАТАША. Вообще, да.

ЕВДОКИМОВ. Они на юге. Отчим скоро должен вернуться.

НАТАША. Вы тоже без отца?

ЕВДОКИМОВ. Тоже. (*Хочет пододвинуть стул к ней.*)

НАТАША. Вы сидите там, ладно? (*Чтобы что-то сказать.*) А я хочу купить себе мотороллер и черные перчатки. Вот буду носиться по городу... Глупость, конечно, но все-таки мечта.

ЕВДОКИМОВ. Да... Поэтому давайте договоримся. Это будет ваша зона. (*Жест на ее стул.*) А вот здесь — моя... А здесь будет проходить условная граница, и я не буду переходить эту границу. Так будет безопаснее. Идет?

Сразу наступило какое-то облегчение.
Будто это заявление решало все вопросы.

НАТАША (*очень радостно*). Идет.

ЕВДОКИМОВ. Скоро позвонят.

НАТАША. Спать хочется ужасно. Мне осталось до самолета...

ЕВДОКИМОВ (*перебивая*). Давайте поставим кофе.

НАТАША. Давайте!

ЕВДОКИМОВ. У меня есть потрясающая кофеварка. Я ее сам сконструировал. Это лучшая кофеварка в СССР. (*Идет в угол комнаты.*)

Жужжание кофемолки.

Вы не сидите как именинница, вы ставьте чашки.

НАТАША. Где чашки?

ЕВДОКИМОВ. На потолке, наверное.

НАТАША (*снимает плащ, хозяйственно вынимает из буфета чашки, расставляет на столе*). Мы сейчас похожи на столетних супругов. Вам снятся сны?

ЕВДОКИМОВ. Нет.

Кофемолка затихла, потом опять пошла.

НАТАША (*доставая ложки*). А мне снятся каждую ночь. Вы не улыбайтесь. Очень пророческие сны. Однажды я с Котиком... это так моего старшего брата зовут... купила облигацию. Больше для юморочка... И вот мне приснилось: плывет корабль, а на мачте у него наша облигация. Представьте, мы выиграли.

Он подходит к ней сзади.

А еще... Что вы там стоите?.. Мне часто снится такой сон: ночь. Поле. Какой-то кол. Почему-то каска. Она звонит на колу от ветра. Как колокол.

Он вдруг резко обнял ее.

(*Вырвалась.*) Ну не надо... Ну оставьте... Ну! Не надо же!

Он попытался ее поцеловать, но она вырвалась, оцарапав ему щеку. Он отступил.

Успокоились?

ЕВДОКИМОВ. Да.

НАТАША (*почти грубо*). Все?

ЕВДОКИМОВ. Да.

Пауза.

Вы поймите...

НАТАША. Не надо!

ЕВДОКИМОВ. Я хотел...

НАТАША (*грубо*). Да не надо! Все ясно! «Потянуло на любовь», как говорят в Аэрофлоте.

Молчание.

ЕВДОКИМОВ. В каком-то Аэрофлоте...

НАТАША. Смешно. С той минуты как вы появились, я подумала: какой одухотворенный товарищ. Вообще, вы мне здорово прожгли обшивочку. Я думала, вы... А вы... А!

ЕВДОКИМОВ. Ерунда. Ведь ты хотела, чтобы я тебя поцеловал! Хотела?

НАТАША. Не так! Понимаешь?!

Он сидит какой-то растерянный. Почти жалкий.

(*Искоса взглянула на него, и в ней проснулась жалость, которой так боятся женщины; примирительно.*) Какой вы... взъерошенный сейчас.

ЕВДОКИМОВ. «Одухотворенный»... «взъерошенный»... У тебя жуткий лексикон.

НАТАША. Ну вот. И смех глуповатый, и лексикон... Все плохо. А вообще, я люблю, когда меня ругают... Я вас здорово оцарапала?

ЕВДОКИМОВ. Прилично.

НАТАША. У меня есть духи. Вы продезинфицируйте.

ЕВДОКИМОВ. Это только когда кошки царапают, нужно дезинфицировать.

НАТАША. Ну вот, я уже кошка. При чем тут кошка?

ЕВДОКИМОВ. Ладно, успокоились. (*Презрительно.*) Хватит об этом. Я вас больше никогда в жизни не буду целовать.

НАТАША. Ну и хорошо.

Молчание.

Не будете?

Молчание.

Вообще не будете?

Молчание.

Телефон что-то не звонит... Вы сейчас совсем как обиженный мальчик. Вот таким вы мне нравитесь... Вы обиделись?

Молчание.

(*Милостиво.*) Ну, хорошо... Ну поцелуйте меня, если вам это так нужно...

ЕВДОКИМОВ. Ханжа и трусиха.

НАТАША. Ну, ладно уж, поцелуйте.

ЕВДОКИМОВ. Я сказал!

НАТАША. Тогда я сама вас поцелую.

ЕВДОКИМОВ. Я не хочу.

НАТАША. А когда я не хотела...

Она не доканчивает фразы, потому что он поцеловал ее. Это очень долгий поцелуй, оттого что оба боятся тех слов, которые нужно говорить после этого поцелуя. Потом она только махнула рукой и сказала свое «А!».

В затемнении звонок телефона. Телефон звонит безостановочно. И затихает.

Шестой этаж большого дома. Раскрытое окно квартиры Евдокимова. За окном слышны голоса — ЕГО и ЕЕ.

ОНА. Качается фонарь.

ОН. Ветер.

ОНА. Я не могу объяснить. Я все понимаю и ничего не могу объяснить. Как собака. (*Смех.*) Кошка, собака... (*Смех, и вдруг скороговоркой, как заклинание.*) Я люблю тебя... люблю, люблю... (*Тревожно.*) Ты меня любишь?

ОН. Да.

ОНА. Молчи! (*Мстительно.*) А ты всем предлагал конфеты и чертил границу?

ОН. Не говори пошлостей.

ОНА. Я, конечно, понимаю... Но все это гадко! Гадко!

Молчание. Слышны шаги на улице...

ОНА. А знаешь, жалко, что кончилось детство. Это все-таки самое лучшее. (*Смеется.*) Странно. Я вот откалываю какие-то дикие номера. Но это самый дикий. Моя мама мне всегда говорит: «Худая, худой и останешься. Потому что злая и сумасшедшая».

ОН. Тебе попадет, что ты не вернулась?

ОНА. О какой чепухе мы говорим. Разве об этом надо сейчас говорить!

Молчание. Опять кто-то прошел... Слышны шаги на улице.

ОН. Кому ты несла вчера букет?

ОНА. Цветочки, да? (*Засмеялась.*) Одной личности. Мы с ним живем в одном доме. Он был «моя первая любовь». Все уже давно кончилось, а я всегда посылаю ему цветы в день рождения. И он не знает, от кого. (*Засмеялась.*) Ловко? (*Вдруг встревожено, как заклинание.*) Я люблю тебя, люблю, люблю. А ты меня любишь?

ОН. Знаешь, не надо все время говорить это слово. Надо быть сдержанной.

Молчание.

Наташка?.. Ты что?.. Ты плачешь?

ОНА (*спокойно*). Что ты. Я редко плачу. Я обычно сдержанная.

Комната Евдокимова. Утро. ЕВДОКИМОВ спит на кровати. НАТАША стоит, одетая, рядом. Смотрит на него. Задумалась. Вдруг подошла к столу. Взяла коробку конфет, вышвырнула ее за окно. Опустила голову, еще постояла. Ее обычный жест: «А!» Она включает на полную мощь радиоприемник. Раздается веселая песенка «Угадайки». Голоса дикторов.

ГОЛОС (*изображающий мальчика Борю; с большим энтузиазмом*). Ой, сколько мы писем получили сегодня, дедушка! В каждом из них ребята отвечают на наши вопросы.

БЛАГОРОДНЫЙ МУЖСКОЙ ГОЛОС (*игриво*). В прошлой «Угадайке» мы, кажется, передавали голоса птиц и зверей. Кто правильно ответил на наши вопросы? Ну-ка, Боренька?

ГОЛОС БОРЕНЬКИ. «Первым вы передавали стрекотание кузнечика,— пишет нам Лева Пысин из города Брянска.— Я часто слышу пение кузнечика на лугах». Леве шесть лет... Он всегда помогает своей маме.

БЛАГОРОДНЫЙ МУЖСКОЙ ГОЛОС. Смотри, какого кузнечика нарисовал Лева Пысин из города Брянска.

ГОЛОС БОРЕНЬКИ. Ой, какой хороший кузнечик! Маленький, настоящий!

БЛАГОРОДНЫЙ МУЖСКОЙ ГОЛОС. А вот Володя Спицын из города Гомеля Белорусской ССР не узнал стрекотание кузнечика и решил, что это кричит крокодил.

Смех в репродукторе.

ЕВДОКИМОВ (*просыпается, благодушно*). Вы не сон... к счастью?

НАТАША. Я быль, к счастью.

Евдокимов садится на кровати.

ГОЛОС ИЗ РЕПРОДУКТОРА. «Вторым вы передавали по радио крик слона»,— пишет Володя Воробьев, пяти лет, из города Сольвычегодска. Володя не умеет писать, и письмо за него написала мама. А слона Володя видел в зоопарке.

ЕВДОКИМОВ. Брось мне конфеты.

НАТАША. Конфет нету.

ЕВДОКИМОВ. Где они?

НАТАША. Я их в окно выбросила, чтобы они наконец у тебя кончились.

ЕВДОКИМОВ. Ясно.

ГОЛОС ПО РАДИО. А вот Коля Бурмистров из города Выборга не узнал слона. И решил, что это кричит жаба.

ЕВДОКИМОВ. Быстро ты оделась.

НАТАША. Я немного проспала.

ЕВДОКИМОВ. Тебе попадет?

НАТАША. Попадет — не попадет, не важно.

ЕВДОКИМОВ. Мне снился сегодня в первый раз сон. Странно. Тебе снились сегодня сны?

НАТАША. Снились.

ЕВДОКИМОВ. Ну и что же тебе снилось?

НАТАША. Что-то большое... чистое... настоящее... Потом пришел вчерашний гражданин и объяснил мне, что это был просто слон, которого вымыли в ванне. А я его и не узнала. Совсем как Коля Бурмистров из города Выборга.

ЕВДОКИМОВ. Перестань, ладно?

НАТАША (*стоя у окна*). Какое чистое небо! Чистое-чистое... Ну я пошла.

ЕВДОКИМОВ. Не поворачивайся. Я оденусь, провожу.

НАТАША. Не хочу, чтобы ты провожал... Да и ты не очень хочешь.

ЕВДОКИМОВ. Как знаешь... Когда ты вернешься?

НАТАША. Денька через три.

ЕВДОКИМОВ. Быстрые у тебя полеты. Значит, встретимся в понедельник в восемь вечера. У метро «Динамо». Идет?

НАТАША. В восемь вечера у метро «Динамо».

ЕВДОКИМОВ. Если что изменится, позвони 295–5000, добавочный 365. Легко запомнить. В номере есть какой-то ритм.

НАТАША (*резко повернулась, подошла к нему вплотную*). Поцелуй меня, ну, быстро! (*Засмеялась.*)

ЕВДОКИМОВ (*поцеловал ее*). Я был неправ — у тебя дивный смех.

НАТАША. Просто — утро. Утром все другое Прощай, Электрон Евдокимов. Вы очень милый товарищ.

ЕВДОКИМОВ. Салют, Наташка, до понедельника.

Она уходит. Стук захлопнувшейся двери. (*Вскакивает с кровати, напевая, подходит к столу. Ищет сигареты и вдруг натыкается на записку читает.*) «Ничего не понял. Я думала, ты поймешь... И получился — юморочек. Встречаться не надо. Наташка».

Большая комната в НИИ. Четыре стола — в ряд, как парты. В углу комнаты стоит доска. У доски — ВЛАДИК (очкастый парень, которого мы уже видели в кафе «Комета») и ЕВДОКИМОВ. Оба одновременно пишут на доске. Что они пишут, мы не видим, а видим только оборотную сторону доски, на которой мелом торжественно начертано разными почерками:

ЕВДОКИМОВ-лапочка.

ЕВДОКИМОВ-дуб.

ЕВДОКИМОВ-душечка.

ЕВДОКИМОВ-кретин.

В противоположном углу комнаты сидит третий научный сотрудник — Галя Острецова. Она тоже что-то пишет. В комнате два телефона. Один — на столе у Гали, другой в противоположном углу, за доской — на столе у руководителя группы Семенова.

Звонок телефона на столе у Гали.

ГАЛЯ (*сняв трубку*). Семенова нет. Он на установке «Альфа».

В продолжение картины все заняты делом. Весь разговор идет «между делом». Это привычная, никого не отвлекающая болтовня. Далекие удары, похожие на разряды.

Опять Гальперин начал рвать свои проволоки... Кстати, мальчики, с этими проволочками получается труднообъяснимый эффект.

Звонок телефона на столе Гали.

(*Подняв трубку*). Семенова нет. Семенов на «Альфе»... (*Продолжая работать.*) Кстати, в девяносто третьем ящике все установки называют именами цветов. Установка «Флокс». Звучит?

ЕВДОКИМОВ (*у доски, мрачно*). Целый день хочется жрать. К чему бы это?

ГАЛЯ. Я думаю, к дождю.

Молчание.

Евдокимыч, сыграем после работы в шахматы? Мне надо сыграть с заведомо слабым противником.

ВЛАДИК (*у доски*). Одни люди живут, чтобы есть. Другие едят, чтобы жить. Острецова ест и пьет, чтобы играть в шахматы.

ГАЛЯ. Владюша, ты вдумчивый мальчик. Но ты ошибся. Шахматы для меня не страсть, а цель. Человек должен все время ставить новые цели и добиваться. Я добилась первого разряда по лыжам. Потом стала мастером по пинг-понгу. Теперь я буду мастером по шахматам... Потом добьюсь еще одной вещи... Хочешь, скажу какой, Евдокимыч?

ЕВДОКИМОВ. Ну?

ГАЛЯ. Фигушки. Ничего я тебе не скажу. (*Собирая бумаги.*) Я ушла на модель. (*Выходит из комнаты.*)

ВЛАДИК. Эта твоя... в кафе... ничего!.

ЕВДОКИМОВ. Да, неплохая...

ВЛАДИК. Я вас вчера искал перед закрытием. Но вы куда-то исчезли.

ЕВДОКИМОВ. Мы исчезли.

ВЛАДИК. Не понял. Поподробнее.

ЕВДОКИМОВ. Я не люблю поподробнее...

Возвращается ГАЛЯ.

ГАЛЯ. Мы пробирки заказывали?

ЕВДОКИМОВ. Нет, это Владик-маленький заказывал. Из тридцать девятой лаборатории.

ГАЛЯ (*садится за свой стол*). Драма, мальчики. Мы работаем вместе целый год и до сих пор не придумали друг другу прозвища. Есть предложение называть Евдокимова «многообещающим». Я буду — «элегантная». «Элегантная Острецова из почтового ящика». А вот Владюша...

Входит ФЕЛИКС, высокий красивый парень. Он медлителен, даже величав. Он разговаривает выспренно, патетически и в то же время очень серьезно. Так что нельзя понять, шутит он или говорит всерьез.

ФЕЛИКС. Здорово, отцы. Принес переводы.

ГАЛЯ (*не отрываясь*). Как живешь, Феликсончик?

ФЕЛИКС. Мог бы лучше, мать. Плохо живу. Очень я огорчен. (*Трагически.*) Понимаете, много платят, а вот я считаю, что истинный человек должен получать мало. Он должен работать ради энтузиазма! Ради дела! Может, я неправильно считаю, пусть старшие товарищи меня поправят. (*Евдокимову.*) А ты все тоскуешь по мне, отец?

ЕВДОКИМОВ. Не говори.

ФЕЛИКС. Я вот тоже. Я всегда тянусь к тебе, Евдокимов, как тянется цветок навстречу утреннему солнцу.

ЕВДОКИМОВ. Отчего-то мне всегда хочется говорить тебе гадость, Топтыгин. К чему бы это?

ГАЛЯ. Я думаю, к дождю.

ФЕЛИКС. По-моему, все проще. Ты очень много кушаешь, Евдокимов. А диалектика жизни такова: когда кони сытые — они бьют копытами. (*Уходит.*)

Звонок телефона.

ГАЛЯ (*подняв трубку*). Семенова нет, Семенов на «Альфе».

ЕВДОКИМОВ. Ученый, который взялся заведовать отделом информации. Переводики составляет, кретин.

ГАЛЯ. Ты очень впечатлительный, Евдокимыч. Ученого из него все равно бы не получилось. А там и оклад большой, и сидит на своем месте.

ЕВДОКИМОВ (*встал*). Не могу!.. Если придет Семенов, я в буфете. (*Уходит.*)

В комнате остаются Галя и Владик. Владик по-прежнему стоит у доски, что-то пишет. Галя усмехается, снимает трубку своего телефона, набирает номер. Звонок телефона на столе у Семенова, за доской.

ВЛАДИК (*бросаясь к телефону*). Алло!

ГАЛЯ (*тихо, в своем углу*). Здравствуйте, Владик, это опять я.

ВЛАДИК (*не без кокетства*). Кто же мне все-таки звонит?!

ГАЛЯ. Красивые девушки, Владик, не прощают, когда их не узнают по телефону.

ВЛАДИК. Ну, совершенно не могу вас вспомнить. У вас весьма знакомый голос. Но вспомнить не могу. Ну, скажите... ну примерно, откуда вы меня знаете?

ГАЛЯ (*роковым голосом*). В жизни, Владик, так много ясного. Пусть у вас будет хотя бы одна загадка... Нет, пока вы меня сами не узнаете, я вам ничего не скажу.

ВЛАДИК. Вы меня не разыгрываете?

ГАЛЯ. Что вы, Владик! Мы взрослые люди. Вы просто мне нравитесь. Поэтому я вам звоню.

Входит СЕМЕНОВ, за ним ЕВДОКИМОВ с бутербродами.

СЕМЕНОВ (*глядя на разговаривающих*). Любопытно! (*Саркастически.*) Был один телефон — занимали. Добился — поставили два телефона. Два занимают! Поставим десять телефонов!.. (*Махнул рукой, начинает быстро расхаживать по комнате.*)

ВЛАДИК (*шепотом в трубку*). Здесь пришли. Позвоните завтра, хорошо?

ГАЛЯ (*шепотом в трубку*). Хорошо.

Вешают трубки.

Семенов молча продолжает расхаживать.

Бегуны прошли половину дистанции.

СЕМЕНОВ. Каждый раз... я мысленно расстреливаю себя за то, что взял в лабораторию Острецову.

ГАЛЯ. Вы очень впечатлительный, Петр Сергеевич.

СЕМЕНОВ (*походил, вдруг остановился, неожиданно заулыбался*). Так вот. Трубы на «Альфе» в норме, герметичность — экстра. Короче, разрешение на опыт Евдокимова даю. И Гальперин тоже дает.

ЕВДОКИМОВ (*стараясь небрежно*). Ясно.

СЕМЕНОВ. Ты не стесняйся, ты улыбайся, Электрон. (*Расхаживая.*) Только нужна осторожность, ребятки. И главное — меньше темперамента. А то Евдокимов Электрон со своим темпераментом...

ЕВДОКИМОВ. Все ясно, Петр Сергеевич.

СЕМЕНОВ (*поднимая трубку телефона, заученно*). Третий? Алло! Милая, красивая, хорошая, Семенов Петр Сергеевич тебя беспокоит. Оформи мне заявочку... Значит, машина на установку «Альфа». Часикам к трем... Молодежь свою на экскурсию повезу. (*Вешает трубку.*) Ну, по домам! (*Надев какую-то разбойную, помятую кепку и допотопное пальто, начинает на ходу делать записи в журнале.*)

ГАЛЯ (*одеваясь*). Вы бы хоть кепку приобрели новую, Петр Сергеевич. Все-таки руководитель группы.

СЕМЕНОВ (*не отрываясь*). Зачем? Симпатичная кепка с остатками былой красоты.

ГАЛЯ. Знаете, Петр Сергеевич, современный человек может ходить в чем угодно. Только у него должны быть в порядке обувь и головной убор.

Уходит, за ней ВЛАДИК.

СЕМЕНОВ (*по-прежнему не отрываясь от журнала, добродушно*). Все вы тряпичники, забодай вас комар. Я в вашем возрасте водку пил, а вы тряпьем занимаетесь. (*Засмеялся.*) Хорошая девушка эта Острецова. Только язык — лезвие.

ЕВДОКИМОВ. До свидания, Петр Сергеевич.

СЕМЕНОВ. Подожди, вместе пойдем... Да, был у меня друг, понимаешь, на фронте. Было ему тогда столько, сколько мне сейчас. Один раз приходит и говорит: «Полюбил». Я ему вопрос: «Красивая?» — «Да нет, не особенно...» — «Характер, спрашиваю, у нее, что ли, экстра или душа?» — «Да нет, отве-

чает, ничего особенного, просто молодая». Я тогда удивился, не понял... (*Грустно.*) А вот сейчас иной раз встретишь девушку и засмотришься. Потом думаешь: да что в ней особенного?.. Ничего. Просто молодая. ... Стареть стал?

ЕВДОКИМОВ. Не знаю.

СЕМЕНОВ. Когда-нибудь узнаешь. (*Усмехнулся.*) Тяжелая будет неделя... Только ты... смотри... постарайся обойтись эту неделю без своих «ля-ля».

Они выходят. Кабинет пустеет. Бьют часы. Бьют шесть.

Голос Наташи: «Товарищи пассажиры, в восемнадцать ноль-ноль мы будем пролетать над городом Ждановом».

Самолет. Кухня в самолете. НАТАША, в синей форме стюардессы, раскладывает обед на подносы. Входит вторая стюардесса — ИРА, очень маленькая, очень молчаливая девушка по прозвищу «Мышка». Потом появляется штурман ЛЕВА КАРЦЕВ.

КАРЦЕВ. Что хорошего, девочки?

НАТАША. Как всегда — характер.

КАРЦЕВ. В Адлере — тридцать восемь градусов.

НАТАША. Очень интересная публика. У меня сидит такой пожилой товарищ, похож на Жана Габена. Он чтец и все время говорит: «В данном театральном сезоне». Хочешь яблочка?

КАРЦЕВ (*взял*). Наташка, ты лучшая девушка Москвы и Московской области.

НАТАША. Ты ошибся. Я лучшая девушка в СССР.

КАРЦЕВ. Почему ты не носишь серую форму? Она тебе очень идет.

НАТАША. Пошел говорить глупости.

ИРА. Серая у нее в чистке.

НАТАША. А ну, Мышка, шустри в салон!

И р а выходит с подносом.

КАРЦЕВ. Почему ты опоздала на рейс?

НАТАША (*вдруг сделав па*). Левка, мне предлагают стать манекенщицей. Согласиться? «Для полных женщин мы по-прежнему рекомендуем строгие формы... В этом году войдет в моду застроченная встречная складка...» Сойдет?

КАРЦЕВ. Так я не понял, почему ты опоздала?

НАТАША. Это и понимать не надо. Проспала — и все. Ти-ра-ри-ра. (*Повернулась, взглянула на себя в зеркало.*) Ах! Ну до чего же прелестна эта женщина!

КАРЦЕВ. Что с тобой сегодня происходит?

НАТАША. Не знаю. Я несчастная сегодня, Лева... и почему-то счастливая. И где счастье, где несчастье — никто ничего не знает. (*Засмеялась.*)

КАРЦЕВ. У тебя отличный смех, Наташка!

НАТАША. Ты ошибся, Левушка. У меня глуповатый смех.

Возвращается ИРА.

КАРЦЕВ (*сразу официально*). Слушай, лучшая девушка Москвы и Московской области. Ты что, серьезно переходишь на спецрейсы?

НАТАША. Ага. С конца месяца буду летать в Европу. Хорошо! Только вот по Мышке буду тосковать.

ИРА вновь уходит с подносом.

КАРЦЕВ. Слушай, Наташка!

НАТАША. Опять, да?

КАРЦЕВ. Не надо со мной шутить. Ты меня знаешь.

НАТАША. Еще что?

КАРЦЕВ. Я люблю. Люблю!

НАТАША. Не надо повторять это слово. Нужно быть сдержанным... Ты чудный парень, Левка... Когда водишь самолет и свою машину... ты ужасно значителен. Мужчинам идет заниматься делом... Но когда ты начинаешь объясняться...

КАРЦЕВ. Это — из-за Мыши?

НАТАША. Что ты! Если бы я любила, ни на Мышь... ни на что...

КАРЦЕВ. Понятно. Ты просто восторженная дура!.. И пропадешь ты с этим ожиданием любви абсолютно ни за что!

НАТАША. Может, я уже пропала... Ну смеюсь, смеюсь. Я когда пропаду — сразу тебе дам знать.

Возвращается ИРА.

Ну, до свидания, до свидания, Левушка. Не мешай нам работать.

КАРЦЕВ уходит.

ИРА. Зачем он приходил?

НАТАША. А! Спрашивал, почему я опоздала на рейс. (*Взглянув на Иру.*) Глупая ты моя Мышь... Ты очень его любишь?

ИРА (*вздохнула*). Очень... Иногда мне кажется, что он меня позовет, и я за ним — вот куда угодно.. Наташик, интересно, ты бы могла... куда угодно... только вот сразу?

Молчание.

НАТАША. Нет... Не могла.

Молчание.

Вообще, Мышь, все эти разговоры тебе ни к чему. Выкинь из головы все эти глупости. Тебе только семнадцать, ты еще зеленая!

ИРА. Счастливая ты, Наташка. Все за тобой ухаживают. Счастливая!

НАТАША (*вдруг села, сжала виски, глухо*). Иди в салон, Мышь.

ИРА. Что ты, Наташка?!

НАТАША (*сразу спокойно*). Ерунда... немного прожгло обшивочку.

Эх ты, Мы-ышь! (*Встала, привычным жестом одернула юбку. Взглянула в зеркало.*) Ах! Ну до чего же прелестна эта женщина! (*И ритмичной походкой стюардессы она направилась в салон.*)

Ее веселый голос: «Товарищи пассажиры! Полет проходит на высоте восемь километров. Скорость полета шестьсот пятьдесят километров в час. В девятнадцать часов две минуты мы будем пролетать над городом Харьковом».

Улица. Справа — огромное окно парикмахерской. Окно раскрыто. В глубине, за окном, видна голова женщины. Линии проводов вокруг головы придают ей нечто марсианское. У окна, рядом с креслом, парикмахерша ЛИЛЬКА. Она переговаривается со стоящей на улице НАТАШЕЙ. Наташа, как всегда, с чемоданчиком и букетиком цветов.

Слева на улице, на скамейке,— очередь: ИНТЕЛЛИГЕНТНЫЙ МУЖЧИНА, ВСХЛИПЫВАЮЩАЯ ДЕВУШКА, ЕЕ ПОДРУГА, ТОЛСТАЯ ЖЕНЩИНА.

НАТАША (*Лильке*). Только ты мне как следует уложи. Мне сегодня очень нужно выглядеть.

ЛИЛЬКА (*она в очень свободном халате*). Милая ты моя, да я тебе такую прическу отгрохаю! Осень ты моя золотая, румяные щечки...

ИНТЕЛЛИГЕНТНЫЙ МУЖЧИНА (*безнадежно*). Вика! Ну скоро, наконец, там?!

ЛИЛЬКА. Не волнуйтесь, гражданин! Ваша дама на сушке. (*Опять затараторила, Наташе.*) Я к тебе вчера забегала с Нелькой Комаровой. Ты была в полете. Да, забыла спросить, как я в рыжем цвете?

НАТАША. Класс!

ЛИЛЬКА. Значит, мы с Нелькой к тебе заходим — и твоя благоверная так на тебя разорялась!

НАТАША. Да?

ЛИЛЬКА. Что ты дома не ночевала... И если это повторится, она тебя вообще выгонит из дому... Такое наговорила!

НАТАША. Нервы.

ЛИЛЬКА. Ты не расстраивайся! Я когда с моим Ленькой гуляла, моя благоверная...

НАТАША. Ну, ладно! Благоверные какие-то пошли... Хватит!

ДЕВУШКА В ОЧЕРЕДИ (*подруге*). Соня, ты не плачь! У тебя все права есть!.. Товарищи, так нельзя — она невеста.

ТОЛСТАЯ. Все мы невесты.

ИНТЕЛЛИГЕНТНЫЙ МУЖЧИНА. Все-таки вы, я полагаю, не невеста.

ТОЛСТАЯ. Ты про меня не полагай — ты про жену свою полагай.

ДЕВУШКА. Нет, так нельзя, товарищи! У нее номерок на девятнадцать часов во Дворец бракосочетаний! Она на свадьбу опаздывает. Товарищ парикмахер!

ЛИЛЬКА (*сразу сварливо*). Невест, девушка, у нас отдельный парикмахер обслуживает. Он на бюллетене. А у меня не тысяча рук — я разорваться на клиентов не могу! Невесты сегодня в порядке общей очереди.

Невеста безнадежно всхлипывает, глядя на часы.

(*Снова шепотом, Наташе.*) Эх и дуры мы... какие мы все дуры. Я иногда на своего Леньку смотрю — и чего я в нем нашла? За мной дипломат ухаживал. Но вот появился этот бес Ленька...

НАТАША. Когда... у тебя?

ЛИЛЬКА. Через пять месяцев.

НАТАША. Боишься?

ЛИЛЬКА. Да... Он у меня уже там ручками-ножками шевелит... Так хорошо бывает! Мы с Ленькой теперь как заведенные ходим — имя ему

придумываем... Ух! Я тебе сейчас такую голову отгрохаю. («*Марсианке*».) Гражданочка, у вас в норме. (*Освобождает ее от проводов. Наташе.*) Садись.

НАТАША. Я, пожалуй, невесту пропущу.

ЛИЛЬКА. Да ты что! Ты ведь спешишь?

НАТАША. Ага, спешу... Я пойду, а то опоздать могу. Не люблю опаздывать.

ЛИЛЬКА. Я думала, тебе действительно нужно ...

НАТАША. До свидания, Лилька.

ЛИЛЬКА. Сумасшедшая ты.

НАТАША. Ну хватит, хватит!.. Яблочко возьми. Из Адлера.

ЛИЛЬКА. Эх, Наташка, и всегда ты кушаешь на ходу. (*Раздельно.*) Слушай... Если тебе... жить все-таки станет негде... ты к нам переезжай.

НАТАША. Опять пошли какие-то глупости... Я побежала.

ЛИЛЬКА. Да, а как звать твоего?

НАТАША. Какого моего?

ЛИЛЬКА. Ну ладно, ладно!..

НАТАША. Ясненько. Моего любимого мужчину зовут Электрон. (*Уходит.*)

ЛИЛЬКА. А чего — Электрон? (*Заулыбалась.*) И необычно... и современно... (*Кричит.*) Ну кто там невеста?!

Площадка перед метро «Динамо». На площадке сейчас пустынно. Идет матч. Доносится рев и свист стадиона.

ГОЛОС РАДИОДИКТОРА. Одиннадцатиметровый удар назначен судьей Клавсом за игру Иванова, номер четыре.

На площадке разгуливает ЕВДОКИМОВ. Глядит на часы. Появляется НАТАША с тем же чемоданчиком и цветами. Они стоят и молчат.

НАТАША. Чего же ты пришел, Эла... Я ведь написала, чтобы ты не приходил.

Рев стадиона.

ГОЛОС РАДИОДИКТОРА. Мяч в ворота «Кайрата» забил Кожемякин, номер девять.

ЕВДОКИМОВ. Я на всякий случай... Кстати, тебе очень идет косынка, Наташа.

НАТАША. Ничего мне не идет. Просто в парикмахерскую никак не выберусь. Ненавижу ходить по парикмахерским, Эла.

ЕВДОКИМОВ. Как ты здорово меня называешь — «Эла». Знаешь, «Эла» — это мысль! Просто выход из моего трудного положения. (*Смеется.*) Ну давай твой чемоданчик.

Она отрицательно качает головой.

Самостоятельная?.... Слушай. Ты сегодня что-то ужасно красивая.

НАТАША (*засмеялась*). Ты в хорошем настроении, да?

ЕВДОКИМОВ. Я в потрясающем настроении. Я тебя сейчас, наверное, поцелую.

НАТАША. Не надо! Не люблю, когда целуются на улицах. Вообще не люблю, когда что-то афишируют.

ЕВДОКИМОВ. Ты мне просто невозможно нравишься... К чему бы это? Я думаю — к дождю.

НАТАША. К какому-то дождю... Ты просто поглупел сегодня. Стоишь очень глупый и не такой самоуверенный. Это тебе идет.

ЕВДОКИМОВ (*наконец-то заметил ее букет*). Ой, Наташка, простите, я не купил вам цветы.

НАТАША. Какая чепуха. Ненавижу, когда мне дарят цветы. Я сама себе все дарю.

ЕВДОКИМОВ. Опять забыл, ты ведь самостоятельная... И куда же мы двинемся?

НАТАША (*торопливо*). Мы просто погуляем сегодня, хорошо?

ЕВДОКИМОВ. Да.

НАТАША. Всю жизнь хочу выбраться в зоопарк. Там что-то родилось у бегемота...

ГОЛОС ПО РАДИО. Сегодня в зоопарке демонстрируются вновь поступившие животные: пантера Роза с потомством, вьетнамская свинья и камерунские козы...
Клуб любознательных при зоопарке объявляет конкурс на лучшую фотографию отечественных животных зоопарка. Принимаются черно-белые и цветные фотографии размером восемнадцать на двенадцать, в двух экземплярах. Лучшие фотографии будут премированы свинками, белыми мышами и книгами.

Зоопарк. Вольер с надписью «Вилорог». Указатель со стрелками: «К носорогу», «К бегемоту», «К тиграм и львам». Скамейка у вольера. На скамейке сидит ЕВДОКИМОВ, рядом стоит НАТАША. Вдоль вольера прогуливается СТОРОЖ.

НАТАША. Что ты сел? Мы ведь не посмотрели камерунскую козу.

ЕВДОКИМОВ. Может, лучше навестить носорога? Все-таки у него рог есть. Хоть какое-то развлечение. Интересно, отчего меня всегда мутит в зоопарке?

НАТАША. Наверное, ты не любознательный, Эла.

ЕВДОКИМОВ. Нет. Скорее всего это от клеток. Слишком много клеток... Слушай, может, нам сфотографироваться на фоне жирафа, на память?

НАТАША. Опять ты смеешься. Ну пойдем к козе.

ЕВДОКИМОВ. Я не могу идти к козе. Я лучше задам тебе один вопрос. Из чисто познавательных соображений.

НАТАША. Да? Какой вопрос?

ЕВДОКИМОВ. Отчего мне все время хочется сегодня тебя поцеловать? К чему бы это?

НАТАША. Я думаю — к дождю, как ты говоришь всегда... Ну вставай, ну пойдем. Вьетнамскую свинью посмотрим, а то ее на обед скоро закроют.

ЕВДОКИМОВ. Ну и пусть. Пусть свинья спокойно пообедает... Наташка, мне осточертели лисицы, свиньи, козы и жирафы... Слушай, с тобой очень трудно ходить рядом. На тебя все смотрят, как ненормальные. (*Смеется.*) Нет, я определенно хочу тебя поцеловать.

НАТАША. Ты просто ужасный «чмокальщик». Что с тобой сегодня?

ЕВДОКИМОВ. В каком смысле?

НАТАША. Ты совсем другой товарищ.

ЕВДОКИМОВ. Просто раньше я был сосредоточенный. А сегодня я счастливый. Я по натуре величайший оптимист СССР... Ну сядь!

НАТАША. Нет.

ЕВДОКИМОВ. Ну не бойся.

НАТАША. Я не боюсь. Я уже сказала: не люблю, когда целуются при всех.

ЕВДОКИМОВ. Что ж, резонно. Слушай, Наташка, вот ты меня не хочешь поцеловать, да? А может, я великий ученый... Смейся, смейся. Вот я сижу здесь среди орлов с обрезанными крыльями. А может быть, я разработал такое...

НАТАША. Ты, да? (*Смеется.*)

ЕВДОКИМОВ. Ну вот, не веришь? Ну удавиться — разработал! Ты знаешь вообще, кто я по профессии?

НАТАША. Ты хвастун.

ЕВДОКИМОВ. А ты не хочешь меня поцеловать!.. Может быть, я «кувырнусь» во время опыта...

НАТАША. Как «кувырнешься»?

ЕВДОКИМОВ. Ну как, как... Погибну. Как в этом фильме...

НАТАША (*кричит*). Перестань! И никогда не смей так шутить!

ЕВДОКИМОВ (*засмеялся*). Сядь, а?

НАТАША. Не сходи с ума.

ЕВДОКИМОВ. Ты боишься сторожа? Давай на компромисс: я тебя буду целовать, пока этот Топтыгин пойдет в ту сторону... Знаешь, я еще никогда не целовался среди тигров и бегемотов. (*Целует ее.*)

Сторож тотчас оборачивается.

ЕВДОКИМОВ (*сторожу*). Привет.

СТОРОЖ. Здравствуйте. (*Проходит.*)

ЕВДОКИМОВ. Зверей охраняете, шеф?

СТОРОЖ. Зверей.

ЕВДОКИМОВ. От кого же вы их охраняете?

СТОРОЖ. От людей.

ЕВДОКИМОВ. Правильно. Человеку дай волю — он и тигра загрызет. Давно вы здесь работаете?

СТОРОЖ. Четвертый год.

ЕВДОКИМОВ. Все вилорога охраняете?

СТОРОЖ. Зачем? Я и моржа охранял, и львов. Я подсменный сторож.

ЕВДОКИМОВ. Здорово. А лев моржа съест?

СТОРОЖ. Съест. Лев всех съест. Он царь зверей.

ЕВДОКИМОВ. Вот зверюга. А морж много рыбы у государства жрет?

СТОРОЖ. Много.

ЕВДОКИМОВ. Безобразие. А тысячу рыб морж сожрет?

СТОРОЖ. Морж и две, и три сожрет. Сколько дашь — столько и сожрет.

ЕВДОКИМОВ. Почему у вас звери такие молчаливые? Не кричат, не орут.

СТОРОЖ. Чего им орать?! Сыты, никто не обижает. Зверь — он кричит, когда тоска на него находит... Или в постный день. Вот тут он легкие развивает. Зверь — искренний. (*Проходит.*)

НАТАША. Вот интересно. (*Замолчала.*)

ЕВДОКИМОВ. Что?

НАТАША. Что ты подумал, когда я ушла?

ЕВДОКИМОВ. Эх, ты! (*Целует ее.*)

Сторож тотчас же оборачивается.

А гиппопотама лев съест?

СТОРОЖ. Лев и гиппопотама съест. Всех съест.

НАТАША. Возьмите яблочко. Очень хорошее. Из Адлера.

СТОРОЖ. Спасибочки. (*Проходит.*)

ЕВДОКИМОВ (*Наташе*). Я знаю, о чем ты сейчас думаешь.

НАТАША. А! Ни о чем я не думаю. Глупость все это.

ЕВДОКИМОВ. И почему ты написала то письмо... тоже знаю.

НАТАША. Ну ладно, ладно!

ЕВДОКИМОВ. Легче нужно относиться ко всему, Наташка!

НАТАША (*тихо*). Я и так, Эланька, очень легко отношусь.

ЕВДОКИМОВ. Относишься, а потом себя грызешь. Понимаешь...

НАТАША. Ну молчи, молчи.

ЕВДОКИМОВ. Ведь я знаю, как тебе было ... потом...

НАТАША. Не надо.

ЕВДОКИМОВ. Улыбнись. Все хорошо, да?

НАТАША. Да, все хорошо, Эла.

ЕВДОКИМОВ. Давай простимся с этими бегемотами и пойдем в нашу «Комету».

НАТАША. У нас уже есть что-то «наше»... Только, Эла... Я сегодня... к ночи должна быть обязательно дома.

ЕВДОКИМОВ. Нереально.

НАТАША. Нет, это нужно. Обязательно.

Евдокимов ее целует, сторож тотчас же оборачивается.

Евдокимов целует ее, сторож тотчас же оборачивается.

ЕВДОКИМОВ. А как насчет тигра, шеф?

Сторож (*радостно*). И тигра лев съест. Лев всех съест. Он царь зверей. (*Проходит*.)

Ночь. Та же стоянка такси. Тот же ПАРЕНЬ сидит на тротуаре. Проходят НАТАША и ЕВДОКИМОВ.

НАТАША (*увидела парня и почему-то безумно обрадовалась*). А, здравствуйте, здравствуйте.

ЕВДОКИМОВ. Ждем «букашку»?

ПАРЕНЬ. Ждем.

ЕВДОКИМОВ. Дать сигарету?

ПАРЕНЬ. Не дать. Сегодня понедельник.

НАТАША. Опять нету такси...

Молчание. Они стоят обнявшись.

Ты какого писателя больше всех любишь?

ЕВДОКИМОВ. А что?

НАТАША. Ничего. (*Отчаянно*.) Нет, не то! Вот с тобой я отчего-то дура. А без тебя — я столько хочу тебе рассказать. А! Все не то! Я просто, наверное, очень мало читала. У меня, как ты сказал, жуткий лексикон...

Молчание.

Хочешь, скажу одну вещь?

ЕВДОКИМОВ. Скажи одну вещь.

НАТАША. Знаешь, где я тебя увидела первый раз?

Он удивленно глядит на нее.

Нет, не в «Комете». (*Смеется.*) Это было три года назад, в Политехническом музее. Там был вечер «Кем быть»... и ты тоже выступал от университета... Я тебя сразу узнала в «Комете».

ЕВДОКИМОВ. А ты что делала в Политехническом?

НАТАША. Решала, кем быть. (*Смеется.*) И до сих пор не решила... Почему я все время с тобой смеюсь?.. Такси нет... Интересно, вот мы стоим сейчас, будто все это так и надо. А потом... когда-нибудь... я буду вспоминать об этом дне как об ужасном счастье.

ЕВДОКИМОВ (*шепотом*). Ничего не понимаю. Никогда у меня так не было. Вот всегда...

НАТАША. Я не хочу знать, как у тебя было всегда... Куда исчезли такси?

ЕВДОКИМОВ. Пойдем?

НАТАША. Опять все то же!

ЕВДОКИМОВ. Ты боишься?

НАТАША. Какая ерунда.

ЕВДОКИМОВ. Значит, боишься. Идем.

НАТАША. Идти, да?

ЕВДОКИМОВ. Да. Туда.

НАТАША. Туда?

ЕВДОКИМОВ. Смешно. Когда ты волнуешься, ты всегда повторяешь слова.

НАТАША. Совсем я не волнуюсь. А! (*Она махнула рукой, и они пошли к парадному.*)

ПАРЕНЬ. Эй, друг!

Евдокимов обернулся.

(*Смеется.*) Одну.

ЕВДОКИМОВ. Держи всю пачку. (*Бросает пачку.*) Эх ты, Топтыгин.

ПАРЕНЬ. Спокойной ночи.

ЕВДОКИМОВ. Салют, Топтыгин.

Раннее утро. Звуки радиоприемника (*передают гимн*).

ГОЛОС РАДИОДИКТОРА. Доброе утро, товарищи...

Лестничная клетка. Перед дверью квартиры Наташи. Прямо на лестнице стоит чемодан, привязанный веревкой к дверной ручке. Сначала раздается Наташин голос, поющий песенку. Потом на лестничной площадке появляется сама НАТАША. Останавливается, рассматривает чемодан.

НАТАША. Ясненько. (*Начинает отвязывать.*) А! Переживем.

По лестнице сверху сходит ЛИЛЬКА. Волосы у нее теперь выкрашены в черный цвет.

ЛИЛЬКА. Доброе утро! Ты чего это?

НАТАША. Ничего. (*Отвязывает чемодан.*) Улетаю.

ЛИЛЬКА. Выгнала, благоверная?

НАТАША. Опять благоверные какие-то пошли. Просто улетаю. Ясно? Никто меня не выгонял. (*Поднимает чемодан.*) «Что нам, летунам»,— как говорят в Аэрофлоте... Значит, стала черная?

ЛИЛЬКА. Да, нужно черный попробовать. На всякий пожарный. (*Волнуясь.*) Ну как я?

НАТАША. ОК!. Я побежала.

ЛИЛЬКА. Чемодан можешь к нам поставить... И вообще можешь у нас пока пожить.

НАТАША. Какая чушь.

ЛИЛЬКА. Гордая дуреха.

НАТАША. Знаешь, мне что-то уже надоело. Все: дура, дуреха, глуповатый смех... Никакая я не дура. Ясно? (*Поправила волосы, откинула голову, пошла по лестнице.*) Ах, до чего же прелестна эта женщина. (*Уходит.*)

Лилька остается на площадке. Дверь соседней квартиры открывается. На площадку выходит ФЕЛИКС, вынимает газеты из ящика.

ФЕЛИКС. Здравствуй, мать.

ЛИЛЬКА. Здравствуй.

ФЕЛИКС. Ты что же, мать, стала цвета маренго?

ЛИЛЬКА. Ну тебя! Наташку мать выгнала.

ФЕЛИКС. Это что, в связи с новой любовью?

ЛИЛЬКА. Да.

ФЕЛИКС (*помолчав*). Ты бы к себе ее пока поселила, а?

ЛИЛЬКА. Не хочет. Она улетела.

Молчание.

Поговори с ней. Ведь вы... когда-то...

ФЕЛИКС (*резко*).И скоро ты увеличишь население голубой планеты Земля?

ЛИЛЬКА (*заулыбалась*). Скоро.

ФЕЛИКС. Приглашай крестным отцом. Всю жизнь мечтаю быть крестным отцом. Имя-то хоть придумали?

ЛИЛЬКА (*счастливо*). Придумали.

ФЕЛИКС. Ну?

ЛИЛЬКА (*улыбаясь*). Электрон...

Комната в НИИ. Далекие разряды. На часах — без четверти шесть. За своими столами ЕВДОКИМОВ, ВЛАДИК, ГАЛЯ ОСТРЕЦОВА.

ВЛАДИК. Сегодня будем допоздна... Посетить, что ли, столовую?

ГАЛЯ. Нецелесообразно. Там только что побывал могучий Евдокимов. После посещений могучего Евдокимова в столовой как-то становится нечего делать.

Молчание.

Впрочем, тебе это даже лучше, Владюша. Ты ведь бережешь свое телосложение.

ЕВДОКИМОВ. «У него не телосложение. У него — теловычитание», как сказал поэт!

Разряды. Входит ФЕЛИКС с цветком в петлице.

ФЕЛИКС. Принес переводы, парубки. Статья американского кибернетика Эшби «Интеллекту-

альные машины»... Это, я считаю, прямо для Евдокимова.

ВЛАДИК. Разреши, Феликс, я сначала прогляжу. А то я уезжаю.

Разряды.

ФЕЛИКС. Вас не раздражает этот стук? У меня голова трещит из-за этих гальперинских проволочек. (*Владику*.) Куда же это ты уезжаешь, парубок?

ВЛАДИК (*проглядывая статью*). На «Альфу».

ФЕЛИКС (*усаживаясь*). Как хорошо сказал!.. Готовитесь к опыту, отцы? Очень я вам завидую. Вот я считаю, что все подлинные ученые должны бесстрашно рисковать жизнью во имя науки. Вот интересно, правильно ли я считаю?

ЕВДОКИМОВ (*не поднимая головы*). Топтыгин ты...

ВЛАДИК (*просматривая статью*). Сильная статья.

ФЕЛИКС (*Гале*). А ты, мать, все такая же целомудренная. Сидишь в финской юбке, мохнатой, как медведь.

ГАЛЯ. Откуда у тебя цветы, сынок?

ФЕЛИКС. Подарок любимой. Даже точнее — экс-любимой.

ГАЛЯ. Что же это у тебя за экс-любимая?

ФЕЛИКС. Кстати, мать, отчего все целомудренные девушки так интересуются подробностями моей биографии... скользкой, как угорь

ГАЛЯ. Динозавр ты все-таки, Феликс... Просто интересно, откуда человек может доставать сейчас такие цветы.

ФЕЛИКС. Человек не может. Человек слаб. Могут только стюардессы. Любите стюардесс, мальчики. Они привезут вам с юга такие же цветы. Любите их, тонких, изящных и длинноногих.

ВЛАДИК. Просто отличная статья.

ФЕЛИКС. Вот так, Галчонок. Каждый свой день рождения я получаю по почте эти цветы. Она шлет их мне... анонимно. Представляешь, какая романтика? (*Патетически.*) Вот, по-моему... не знаю, прав я или нет... но мне кажется, что романтика и чистота — основные качества наших девушек. Вот интересно, правильно ли я считаю?

ГАЛЯ. Хохмач ты, Фелька.

Разряды.

ФЕЛИКС. Все-таки этот Гальперин безобразник.

Звонок телефона.

ГАЛЯ (*берет трубку*). Семенова нет. Семенов в столовой... Нет, просто мы задерживаемся после работы, он пошел поужинать... Ясно. (*Вешает трубку.*) Владик — к Гальперину! (*Уходит, за нею Владик.*)

В комнате ЕВДОКИМОВ и ФЕЛИКС.

ФЕЛИКС. Прочитал в «Лепр франсэз», что итальянские стюардессы избрали своей покровительницей святую Боннету... Это была самая длинноногая из всех святых. Кроме того, она имела склонность к путешествиям.

Молчание.

Я тебя видел с ней.

ЕВДОКИМОВ. С кем... с ней?

ФЕЛИКС. Со святой Боннетой, естественно. Ты ее провожал. Мы со святой Боннетой живем в одном доме.Соседствуем, так сказать

Молчание. Разряды.

ЕВДОКИМОВ. Что ж, ты ее хорошо знал?

ФЕЛИКС. Неплохо знал.

ЕВДОКИМОВ. Да?

ФЕЛИКС. Да. (*Насмешливо.*) Мы с ней дружили. Мы ходили вместе в кино и на каток, читали вслух статьи об интеллектуальных машинах. (*С пафосом.*) Вот я считаю, что дружба...

ЕВДОКИМОВ (*резко встал*). Ты врешь! Все врешь!

ФЕЛИКС (*отступая, свалил стул*). Вру.

ЕВДОКИМОВ (*бешено*). Ты Топтыгин. Ясно?! Говори: «Я Топтыгин!..». Не скажешь, да?

ФЕЛИКС (*очень спокойно*). Скажу. Я Топтыгин. Все? (*Поправляя галстук, так же спокойно.*) Она — настоящая... Это не так часто бывает... Ее мать выгнала из дому. Из-за тебя... Ты это учти.

ГАЛЯ (*заглядывая в дверь*). Семенов не возвращался?.. Что это у вас стулья на полу? (*Исчезает.*)

ФЕЛИКС. Это — диалектика жизни. Она такова. Когда кони сытые — они бьют копытами. (*Уходит.*)

Евдокимов один, возвращается ВЛАДИК. Глядит на стул, лежащий на полу. Поднимает, потом набирает номер телефона.

ВЛАДИК. Это из семьдесят девятой лаборатории. Здесь заказывали машину на «Альфу»... Хорошо, жду вашего звонка по сорок девятому. (*Положил трубку.*) Очень сильная статья у этого Эшби. Охватывает страх, что никогда не сумеешь так мыслить... Понимаешь, мысль...

ЕВДОКИМОВ. Удивительно. Раньше мне очень нравилась твоя манера постоянно все анализировать. Теперь она меня раздражает. Почему?

ВЛАДИК. С возрастом люди становятся примитивнее.

ЕВДОКИМОВ. Ты очень похож на английского физика. И еще тебе бы очень пошла пыжиковая шапка. Есть люди, просто созданные для пыжиковых шапок.

Звонок по телефону.

ВЛАДИК (*берет трубку*). Хорошо... «Волга», 15–53?.. Я сейчас выхожу, спасибо. (*Положил трубку, невозмутимо.*) У всех у нас за неделю скапливается большое количество лишних эмоций. Они мешают нам мыслить. Короче — одни играют на трубе... Другие бросают стулья на пол... Но все мы так или иначе избавляемся от лишних эмоций.

Молчание.

Ты, вероятно, хочешь меня о чем-то попросить?

ЕВДОКИМОВ (*засмеялся*). Как ты догадался?

ВЛАДИК. Когда нормальные люди хотят о чем-то попросить, они становятся предупредительными. А ты становишься невыносим. Ненавидишь просить.

ЕВДОКИМОВ (*совсем развеселившись*). Владька, ты отличный парень... Понимаешь, сегодня прилетает один человек... Мы с ней должны встретиться у метро «Динамо». В половине седьмого. А Семенов сегодня затеял работать. Короче, у меня горит свидание.

ВЛАДИК. У тебя их мало горело?

ЕВДОКИМОВ (*небрежно*). Да нет, я мог бы наплевать. Но оказалось, что этому человеку негде будет сегодня ночевать... Ты не сможешь подъехать к метро и передать записочку?

ВЛАДИК. Исключается. В половине седьмого я должен быть на «Альфе». (*Идет к дверям, повернулся.*) Что касается комнаты, я могу отдать свою. И переехать пока к брату.

ЕВДОКИМОВ. Спасибо. Ты чуткий. Но это не понадобится. У меня родичи на юге.

ВЛАДИК. Ну, я рванулся.

ЕВДОКИМОВ. Рвись.

ВЛАДИК уходит. Часы бьют шесть. Евдокимов снимает с вешалки свой плащ. В комнату входит СЕМЕНОВ, за ним ГАЛЯ.

СЕМЕНОВв (*глядит на одевающегося Евдокимова*). Вы что, Евдокимов?

ЕВДОКИМОВ. Простите, Петр Сергеевич, я, к сожалению, должен отлучиться на часок.

СЕМЕНОВ. Вы сошли с ума, да?

ЕВДОКИМОВ. Нет, я не сошел. Мне просто нужно отлучиться на часок.

СЕМЕНОВ. То есть как это «отлучиться»? У нас, кажется, опыт на днях, забодай вас комар. Последние дни...

ЕВДОКИМОВ. Я вернусь через час.

СЕМЕНОВ. Я договорился с вами: без «ля-ля». Договорился?.. Я не разрешаю вам. Точка.

ЕВДОКИМОВ. Так я пошел, Петр Сергеевич? Я через час вернусь...

СЕМЕНОВ. Идите.

ЕВДОКИМОВ уходит.

Вот черт!.. (*Начинает расхаживать по комнате*.) Ладно, всякое бывает. (*Расхаживает*.) Да... Мне нужно с вами поговорить, Галя. Это лучше сейчас. (*Резко, безапелляционно*.) Существует инструкция шестьдесят седьмого года. Женщинам работать на установках типа «Альфа» при намечаемых нами условиях... Короче, есть приказ: вас придется освобождать от опыта...

ГАЛЯ (*помолчав*). Что ж... переживу.

Вновь молчание. Разряды слышнее.

Вы очень любите Евдокимова, Петр Сергеевич. Он вас тоже. Крайне трогательно... Евдокимов — способный человек?

СЕМЕНОВ. У него есть интуиция. В конечном счете, ученый отличается от вахтера не знаниями, а интуицией. (*Расхаживает*.)

Разряды.

ГАЛЯ. О чем вы сейчас думаете?

СЕМЕНОВ. О войне... И об интуиции...

ГАЛЯ. Почему у вас такие мужественные мысли?

СЕМЕНОВ. Вы очень похожи на одну девушку, Галя. Я был знаком с ней в войну.

ГАЛЯ (*тихо*). И далее?

СЕМЕНОВ. Далее вступает интуиция. И говорит: что абсолютно не похожи. (*Резко.*) Вам придется завтра съездить на «Альфу» забрать режимы. Но это я вам потом объясню.

Молчание.

(*Расхаживает.*) Все похоже... Все очень похоже...

Молчание.

У меня во дворе стоит дуб и скамейка. (*Думая о чем-то.*) Дуб и скамейка... Да, дуб и скамейка...

ГАЛЯ. Я уже усвоила: дуб и скамейка.

СЕМЕНОВ. И под этим дубом всегда пары сидят. Раньше сидели и теперь. Посидят, посидят. Потом перестанут. Потом, уже днем, под тот же дуб вывозят коляску. А вечерами на скамейке уже сидит другая пара. Непрерывность жизни... Потом откроешь ночью окно... Их ребенок кричит. А ты слушаешь: орет! Молодец! Порядок!.. Потом затихает, мать, наверное, подошла...

ГАЛЯ. Вы очень впечатлительный, Петр Сергеевич.

Пауза. Разряды.

Скажите, почему вы живете один?

СЕМЕНОВ (сухо). Потому что живу один...

Молчание. Разряды.

Вы хорошая девушка, Галя. Только немного язвительная... и сухая. Это мешает.

ГАЛЯ. Вы тоже очень хороший человек, Петр Сергеевич. И даже не язвительный... и не сухой. (*Вдруг почти отчаянно.*) А что толку?! Вот я хорошая. Вы хороший. Мы хорошие... Да кому нужны хорошие? Не любят сейчас хороших!

Оглушительные разряды.

СЕМЕНОВ (*глухо*). Дает Гальперин!..

ГАЛЯ. Вот она, уверяю вас, нехорошая. А он — побежал к ней! Видали как: забыл все и побежал! Потому что — нехорошая!...

Двойной номер в гостинице. У столика с телефоном НАТАША. На кровати спит ИРА (Мышка).

ГОЛОС ТЕЛЕФОНИСТКИ. Москва, говорите.

ГОЛОС ЕВДОКИМОВА. Да.

НАТАША. Алло, кто это?

ГОЛОС ЕВДОКИМОВА. Александр Сергеевич Пушкин, поэт.

НАТАША. Эла, это ты? (*Смеется.*) Элочка, прости, что я не пришла сегодня к метро.

ГОЛОС ЕВДОКИМОВА. Прощаю.

НАТАША. Да нет, мы в Ташкенте сидим... Нам вылета не дают. Элочка, ты был сегодня у метро?

ГОЛОС ЕВДОКИМОВА. Не важно.

НАТАША. Был! Был! Я знаю. (*Смеется.*)

ГОЛОС ЕВДОКИМОВА. Почему это тебя так радует?

НАТАША. Не важно. Просто так. А где ты шляешься допоздна? Я тебе сегодня весь вечер звоню — никто не подходит.

ГОЛОС ЕВДОКИМОВА. На работе был до одиннадцати.

НАТАША. Это хорошо. Ты давай там работай шустрее, чтобы девушка могла тобой гордиться... Да, я сейчас начала читать... Ой, ты знаешь... Я это тебе потом расскажу. (*Смеется.*) Мне почему-то стало очень хорошо жить.

ГОЛОС ЕВДОКИМОВА. Серьезно?

НАТАША. Ага. Ну как твои дела-то?

ГОЛОС ЕВДОКИМОВА. Хороши. А твои?

НАТАША. В порядке... О какой чепухе мы сейчас говорим.

ГОЛОС ЕВДОКИМОВА. Ну а ты как живешь? Небось веселишься направо и налево.

НАТАША (*чуть задумалась*). Да. Веселюсь так, что пыль летит.

Молчание

ГОЛОС ЕВДОКИМОВА. Серьезно?

НАТАША. Абсолютно... (*Усмехнувшись.*) Ты даже не представляешь, как я развернулась.

ГОЛОС ЕВДОКИМОВА. Приедешь — расскажешь.

ГОЛОС ТЕЛЕФОНИСТКИ. Последняя минута.

НАТАША. Эла, ну, я тебя... ну, в общем...

ГОЛОС ЕВДОКИМОВА. В общем, ты меня целуешь, и я тебя тоже. Как прилетишь, позвони.

НАТАША. До свидания, Элочка.

Гудки в трубке. Наташа задумалась. Стук в дверь. Входит КАРЦЕВ.

КАРЦЕВ. Вылетаем завтра в ноль тридцать.

НАТАША. Премиленько. Хочешь яблочка?

КАРЦЕВ. Мышь!

НАТАША (*торопливо*). Спит, спит.

КАРЦЕВ. Люблю людей, которые умеют рано засыпать. Жить будут долго. (*Берет со стола брошюру, читает.*) «Программа для поступающих на филологический факультет МГУ». Чего это ты?

НАТАША. Понимаешь, Левушка, я очень некультурная. Запас слов у меня маловат.

КАРЦЕВ. Понятно. Решила учиться в самолете.

НАТАША. Ага. Буду схватывать на лету. (*Смеется.*)

КАРЦЕВ. Обожаю твой смех. Остроумная девушка... Остроумная женщина.

НАТАША. Под газом?

КАРЦЕВ. Несущественно. Ты читала Сент-Экзюпери? Я люблю Сент-Экзюпери. Он был летчиком. Он летал над землею людей. Ему было до чертиков одиноко в воздухе. Он стал писать. Он был настоящий мужчина. Он хотел выразить идею... (*Громко.*) Мышь!

НАТАША. Тс!.. Ну ты же видишь! Человек спит. Обязательно надо кричать.

КАРЦЕВ. Я к тебе заезжал перед полетом. Хотел тебя подвезти на аэродром.

НАТАША. Да?

КАРЦЕВ. Тебя выгнала из дому мать.

НАТАША. Все?

КАРЦЕВ. Нет. Начнем с того, что я тебя сейчас поцелую.

НАТАША. Ты для этого выпил?

КАРЦЕВ. Начнем с того, что пока с вами ведешь себя как человек, вы...

НАТАША. Ты очень хочешь сказать гадость?

Он молча встал.

(*Ловя последнее мгновение, резко и повелительно*.) А ну, сядь! Быстро!

КАРЦЕВ (*сел, стараясь небрежно*). Не бойся.

НАТАША. Я не боюсь.

КАРЦЕВ. Боишься. Тогда ты тоже боялась. Я помню, как мы с тобой тогда горели... над степью... Ты ужасно боялась — и никто этого не заметил. Ты улыбалась — ты умеешь скрывать страх. Ты — «молоток».

НАТАША. «Молотки» пошли. Сплошной Аэрофлот.

КАРЦЕВ. И еще я тебя любил за то, что ты была... Когда при тебе говорили гадости, ты уходила и ревела. Как же ты...

НАТАША. Не надо. Ты ведь ничего не знаешь, Левочка.

КАРЦЕВ. Сент-Экзюпери — человек. Ты его почитай... Прости, я хотел совсем по-другому.

НАТАША. Знаю.

КАРЦЕВ (*вдруг резко*). Слушай! Все ясно! Только одного я не понимаю: какого дьявола ты посылала мне поздравления на каждый праздник?! Какого дьявола...

НАТАША. Не надо ругаться. Ну почему все надо понимать наоборот? Просто всем знакомым на праздники я посылаю открыточки. Людям приятно, когда о них помнят. В жизни не так уж много тепла. В прошлый Новый год я послала девяносто две открытки.

КАРЦЕВ. Восторженная дуреха!

НАТАША. Не надо. Если у меня есть друг на свете, то это, наверное,— ты.

КАРЦЕВ. А когда-нибудь, не сейчас...

НАТАША. Не надо!

КАРЦЕВ. Значит, в следующий раз полетишь на спецрейсах?

НАТАША. Ага.

КАРЦЕВ. Ну, прощай, Наташка. (*Пошел к дверям, вдруг повернулся.*) Наташка, поцелуй меня на прощанье... сама.

НАТАША. Поцеловать, да?

КАРЦЕВ. Да... Только в губы.

НАТАША. В губы?

КАРЦЕВ. Не бойся.

НАТАША. Я не боюсь. (*Подходит, целует его.*) Какой ты смешной товарищ.

КАРЦЕВ. Все-таки ты лучшая девушка Москвы и Московской области.

НАТАША. Я тебя прошу, будь с ней (*кивает на кровать, где спит Ира*) человеком. Понимаешь,

Левушка, что бы ни случилось, главное — уметь остаться человеком.

КАРЦЕВ (*помолчав*). Экзюпери я тебе подарю. (*Уходит.*)

Ира садится на кровати.

НАТАША. Ты не спала?

ИРА. Нет, я не спала.

НАТАША. Это даже хорошо.

ИРА. Да, это хорошо! Ты лучшая Московской области! А ну-ка, идем, идем к зеркалу! (*Лихорадочно.*) Сними каблуки.

Наташа подходит к зеркалу, покорно снимает туфли.

(*Надевает их.*) Вот я уже такого роста, как ты или даже чуть выше!

Она не доходит на каблуках даже до виска Наташи.

НАТАША. Да, чуть выше, Мышь.

ИРА. И лицо у меня... Какое у меня лицо, разбирай меня!

НАТАША. У тебя удивительное лицо.

ИРА. Красивое!

НАТАША. Больше чем красивое. У тебя родное лицо, Мышь. И ноги у тебя отличные.

ИРА. Талия у меня сорок восемь! А ты туфли всегда кособочишь! Лицо у тебя — глупое! И мать тебя выгнала! И дома ты не ночуешь! Так почему же?!

НАТАША. Ну зачем... Мышка?

ИРА. И всегда ты смеешься. А я знаю, отчего ты всегда смеешься. Все знаю. (*Торжествующе.*) Потому что если ты перестанешь смеяться... ты за-

думаешься над своей жизнью! И тогда ты умрешь! И я не позволяю называть себя мышью!

Они обе молчат.

ИРА (*тихо, сквозь слезы*). Наташа...

НАТАША. Да, Ира.

ИРА. Сходим вечером в кино?

НАТАША. Конечно.

ИРА. Ты прости.

НАТАША. Выключи свет.

Ира щелкает выключателем. Темнота.

Ты права, Мышонок. Во всем...

ИРА. Зачем, Наташа?

НАТАША. Ты послушай. Полезно. В восемнадцать лет мы ужасные дуры. Кино, книжки — все про него. И вот мы ждем его. Необыкновенного его.

ИРА. Ну зачем, Наташа?

НАТАША. Молчи, слушай, слушай. Это для тебя, Мышонок. И вот — он. Наш первый. И вот уже все случилось, потому что мы все ему готовы отдать,— ну он и берет. А оказалось, он — так... обычный... Многие ошибаются в первом. Понятно, ведь первый. Да и глупые мы еще. Ох, какие мы... глупые... Но ведь все случилось. И тебе уже кричат со всех сторон: «Безнравственно! Ты что, девкой хочешь стать? Немедленно выходи за него замуж!» Дома, вокруг... И ты унижаешься, делаешь вид, что боготворишь его по-прежнему,— только бы он женился. И не дай бог, если он женится, потому что тогда... ... ну, я видела эти семьи.

ИРА. Зачем, зачем, Наташка!..

НАТАША. Дальше, он не женился. На все тебе стало наплевать. Но одной трудно. У всех ведь есть он. Как же отстать-то! И еще — ошибочка... И еще... Но вот однажды ты говоришь себе: «Стоп! Стоп!» С этой минуты ты уже живешь одна. И ты начинаешь смеяться, и сама уже веришь, что тебе теперь все до лампочки! И твой девиз теперь: «Выдержка, выдержка и еще раз выдержка»... Но иногда бывает очень трудно... Идут девчонки с цветами. Ты тоже идешь с цветами. Только ты их сама себе подарила... Но самое трудное — это жить без кумира. Даю тебе слово, ужасно трудно... И вот однажды выдержка погорела. Я его увидела сначала в Политехническом. Он там неплохо выступал. Здорово выступал. Невероятно одухотворенный товарищ. Кумир! Но для него это все это ... так... Я бы его бросила, честное слово, как ни трудно! Но иногда мне кажется, что я для него... Знаешь, мы ехали в такси, и он положил мне голову на плечо. Вот я бы никому не положила так голову на плечо!.. Потому что — выдержка... Главное, Мышь, ты не торопись. Все успеется. И никогда не теряй достоинства. Вот я проверю... Если я действительно для него просто... я уйду. Возьму и совсем уйду! (*Включает свет.*) А! Все бабья болтовня.

ИРА. Наташка, неужели мы расстанемся!.. Обидно!

НАТАША. Нет, это здорово, Мышонок. Нам теперь никогда не будет так хорошо... как прежде. Никогда.

Ира вдруг прижалась к ней.

Ну что?.. Что, глупая Мышь?..

ИРА (*торжественно*). Я хочу, чтобы ты была счастливой. Будь, Наташа, за всех!

НАТАША. Какие могут быть разговоры. Конечно, буду, и ты тоже, ладно?

ИРА. И я тоже. Ладно...

Часть вторая

Квартира Евдокимова.

ЕВДОКИМОВ и НАТАША. Она только что вошла, ее плащ брошен на диван. Наташа в форме стюардессы. На стуле ее чемоданчик.

НАТАША. Эла, дай, пожалуйста, кувшин... Я поставлю гвоздики... Кстати, у меня здесь еще веточка эвкалипта. Она очень славно пахнет. (*Выкладывает из чемодана на стол завернутую в целлофан эвкалиптовую ветку, потом достает из чемодана бесконечные яблоки.*) Знаешь, яблоки в Ташкенте — просто чудо. Что ты на меня так смотришь?

ЕВДОКИМОВ. Я еще никогда не видел тебя в форме. (*Усмехнулся.*) Стюардесса!

НАТАША. Не люблю этого слова. Я бортпроводница, понятно?.. Слушай, Элочка, дай какой-нибудь другой кувшинчик, а то этот уж очень облезлый.

ЕВДОКИМОВ. Поставь в бутылку... Какой у тебя великолепный орел на груди.

НАТАША (*рассмеялась*). Нет, это просто птичка, Эла. «Питичка», как ее у нас называют. Хватит

Аэрофлота... (*Удовлетворенно оглядывает цветы на столе.*) Очень прилично, по-моему.

ЕВДОКИМОВ. Иди сюда.

Она подходит, он положил руки на плечи, так они стоят посредине комнаты.

Здравствуй, Наташа!

НАТАША. Здравствуй, Эла!

ЕВДОКИМОВ. Как ты жила, Наташа?

НАТАША. Знаешь, неплохо.

ЕВДОКИМОВ. Да? (*Стараясь шутливо.*) Небось, веселилась в Ташкенте... Чего это ты мне по телефону болтала?

НАТАША. Ты как жил?

ЕВДОКИМОВ. Нормально. Через четыре дня опыт.

НАТАША. А я сегодня улетаю, в ноль тридцать.

ЕВДОКИМОВ. Чего это ты скачешь с рейса на рейс?

НАТАША. Долг зовет.

ЕВДОКИМОВ. А я знаю, почему ты скачешь с рейса на рейс.

Молчание.

Тебе жить негде. Тебя мать из дому выгнала.

Пауза.

НАТАША. Чепуха какая. Если я захочу, я с мамой сразу помирюсь. Приду и скажу: «А!» — и помирюсь... Откуда ты знаешь, что меня выгнали?

ЕВДОКИМОВ. Я все знаю. Ты к этому привыкни. Что ж ты от меня утаила, Топтыгин?

НАТАША. А! Я вообще считаю, что никому не интересно слушать о чужих несчастьях. У людей своих хватает. Терпеть не могу, когда жалуются, и хватит об этом, ладно?

ЕВДОКИМОВ (*величественно*). У меня в записной книжке есть телефоны трехсот шестнадцати друзей. Они все сейчас ищут тебе комнату. К десяти вечера мы ее снимем.

НАТАША. Знаешь, Элочка, давай договоримся: ты сообщи своим тремстам и шестнадцати друзьям, чтобы они ничего не искали. Я вообще одолжений не принимаю. Разве что от очень-очень близких друзей.

ЕВДОКИМОВ. А я не «очень близкие друзья»?

НАТАША. Нет. Ты только мой любимый мужчина. Но ты не мой друг.

ЕВДОКИМОВ. Ты точно это знаешь?

НАТАША. К сожалению, точно. Во всяком случае, я сегодня это проверю.

ЕВДОКИМОВ. Подожди, я только повешу картину, и ты начнешь проверять. (*Прикалывает к стене плакат «Летайте самолетами Аэрофлота».*)

На плакате изображена стюардесса. Внизу надпись карандашом «Приветик, Наташа!»

НАТАША (*смеется*). Почему всегда нужно издеваться?

ЕВДОКИМОВ. Есть картина. Обстановка создана. Сейчас я буду петь песни.

НАТАША. Какие песни?

ЕВДОКИМОВ. Ты не знаешь самого главного: я сочиняю песни. Нет, совершенно серьез-

но. У нас в академгородке все поют мои песни... Представляешь, картиночка: сидят доктора наук, пожилые, лысые... и поют ... про пиратов.

НАТАША. А почему про пиратов?

ЕВДОКИМОВ. Вполне естественно. Они очень положительные люди. В жизни они были начисто лишены... буйства, что ли. А в этих песнях для них и удаль, и буйство. Страшно смешно.

НАТАША. Только не надо говорить так самоуверенно. Все люди в какой-то мере смешные. Кстати, ты тоже.

ЕВДОКИМОВ (*на плакат*). Она ничего девочка...

НАТАША. Да ну тебя. Я ужасно хочу уничтожить твою самоуверенность.

ЕВДОКИМОВ. Это невозможно. Поцелуй меня. Ну!

НАТАША. Не хочу.

ЕВДОКИМОВ. Ну!

Наташа целует. Начали песню.

Время стекает со стрелок часов,
А часы все бормочут насмешливо.

Дальше я еще не сочинил. Там будет кусок о нежности. Нежность. Ее все время стыдятся. Ее прячут далеко в боковой карман. И вынимают в одиночестве по вечерам. Чтобы посмотреть, как она истрепана за день — наша нежность. И еще о смерти... «Не бойтесь смерти. Смерть — это так, добродушный сторож в парке, который сгоняет со скамеек засидевшихся влюбленных. А они не хотят уходить, а смерть все причитает надоевшим голо-

сом: «Попрошу на выход, закрывается». Это будет лучшая песня в СССР. Я ее сочиню для тебя.

НАТАША. Спасибо, Эла.

ЕВДОКИМОВ. Ну все-таки: что же было с тобой в Ташкенте?

НАТАША. Я вот точно знала, что ты все время хочешь задать этот вопрос.

ЕВДОКИМОВ. Просто интересно. Из психологических соображений.

Наташа повернулась спиной. Весь дальнейший разговор она ведет спиной к нему, потому что она не в силах видеть его лицо.

Так что же там было?

НАТАША (*весело*). Ничего особенного... Увлеклась одним летчиком.

ЕВДОКИМОВ (*стараясь небрежно, но голос у него срывается*). Ну... и дальше?..

НАТАША. Чепуха... Поцеловались немного.

ЕВДОКИМОВ. Ну... и дальше?..

НАТАША. Перестань.

ЕВДОКИМОВ. Мне-то, собственно, все равно... Я просто...

НАТАША. Да, ты из чисто психологических соображений.

Молчание.

Ты молодец, я бы так не сумела.

ЕВДОКИМОВ (*почти яростно*). И что же... серьезное было?!

НАТАША. По-моему, ты сам учил: не ханжить.

ЕВДОКИМОВ. Нет, ты...

НАТАША. Ну было! Было! Что с того?! И вообще, какое это имеет значение? И прекратим этот глупый разговор.

Молчание.

Эвкалипточка очень славно пахнет.

Молчание.

О чем ты сейчас думаешь?

ЕВДОКИМОВ. О работе. У нас там старик Гальперин взрывает проволочки. Очень непонятный эффект. (*С ненавистью.*) А ты... (*Замолчал.*)

НАТАША. Что?

ЕВДОКИМОВ (*презрительно*). Ничего.

Вновь молчание. Она стоит спиной.
Он сидит и бессмысленно трет себе голову.

НАТАША (*резко повернувшись*). Брось плащ, пожалуйста.

Он почти с радостью бросил ей плащ.
Она надела, пошла к дверям.

ЕВДОКИМОВ. Я тебя провожу.

НАТАША. Не надо.

ЕВДОКИМОВ (*не глядя на нее*). Ну зачем же. Провожу... (*Презрительно.*) Все-таки в последний раз. (*Надевая плащ.*) Мы никогда так рано не уходили.

Из затемнения голос радиодиктора, объявляющий остановки: «Станция «Ботанический Сад», следующая станция — «Новослободская». Стук колес. Вагон метро. ЕВДОКИМОВ и НАТАША. Они стоят в пустом углу вагона. Молчат.

РАДИО. «Новослободская»... Следующая станция — «Белорусская».

ЕВДОКИМОВ. Тебе на следующей.

НАТАША. Спасибо.

Стук колес.

ЕВДОКИМОВ. Ну прощай.

НАТАША. Прощай. Я хочу напоследок дать тебе один совет.

ЕВДОКИМОВ (*сухо*). Не надо никаких советов.

Молчание. Стук колес.

НАТАША. Я все-таки дам. Не будь никогда таким самоуверенным.

Она засмеялась презрительно, даже зло. Он посмотрел на нее. В глаза.

РАДИО. Станция «Белорусская».

ЕВДОКИМОВ. Ты наврала, да?!

НАТАША. Дурак! (*Хотела пройти к дверям.*)

ЕВДОКИМОВ (*загородил ей дорогу*). Наврала, да?

НАТАША. Пусти! Пусти!..

ЕВДОКИМОВ (*счастливо*). Ты все наврала!

Стук захлопнувшихся дверей.

РАДИО. Следующая станция — «Краснопресненская».

НАТАША. Пусти.

ЕВДОКИМОВ. Наврала!

НАТАША. А я дура! Я поклялась не говорить тебе ничего! Если ты в это поверишь.

ЕВДОКИМОВ. Наврала!

НАТАША. Ух, какая я глупая, что сказала! Пусти меня.

ЕВДОКИМОВ. Не пущу.

НАТАША (*с ненавистью*). А он поверил! Пусти меня!

ЕВДОКИМОВ. Не пущу.

НАТАША. Как же ты мог. Какой же ты гад! Если ты мог сразу поверить, что я... Отпусти меня!..

ЕВДОКИМОВ. Послушай...

НАТАША. Как же ты ко мне относишься! (*С ненавистью.*) Ух ты-ы!!

РАДИО. Станция «Краснопресненская». Следующая станция — «Кисвская».

НАТАША. Я ненавижу тебя! Я уйду!

ЕВДОКИМОВ. Нет.

Стук захлопнувшихся дверей. Вновь стук колес. Рядом с ними становится ЩЕГОЛЕВАТЫЙ ГРАЖДАНИН.

НАТАША (*в порыве самоунижения*). Неужели у тебя реле не сработало, что ты для меня такое!.. Ну пусти! Пусти меня сейчас же!!

Евдокимов кладет ей руку на плечо.

Не трогай! Я не хочу! Пусти меня. Ну я сказала, я не хочу тебя больше видеть!

ЩЕГОЛЕВАТЫЙ. Кажется, ясно тебе, уважаемый, не хочет тебя девушка видеть.

ЕВДОКИМОВ. Идите... пока я...

ЩЕГОЛЕВАТЫЙ. Не беспокойтесь, девушка...

НАТАША (*невероятно зло*). А я, между прочим, не прошу вас вмешиваться!

Щеголеватый пожал плечами: ненормальные.
И отошел.

РАДИО. Станция «Киевская».

НАТАША. Пусти меня — я выйду.

ЕВДОКИМОВ. Я сказал: не выйдешь.

НАТАША. А еще хорохорился: я вообще не ревную! Работа!.. А сам сидел весь красный, пятнами покрывался! Придумываешь ты из себя что-то, тоже сверхчеловек нашелся!.. Ну отпусти меня, ну я не хочу с тобой быть.

ЕВДОКИМОВ. Ну что ты... Ну не плачь... Не надо.

НАТАША. А я не плачу.

ЕВДОКИМОВ. Ну, перестань, Наташка.

НАТАША (*сквозь слезы*). А еще говорил... А сам...

ЕВДОКИМОВ. Ну, не плачь, милая.

НАТАША. Я не плачу. А еще говорил: я твой друг... Какой ты мне друг, если ты так, с ходу поверил.

ЕВДОКИМОВ. Успокойся.

НАТАША. Над другими смеешься. А сам смешнее всех. В миллион раз! Вот в миллион миллионов раз!

ЕВДОКИМОВ. Ты хочешь сказать, в миллиард?

НАТАША. Все равно я с тобой не пойду никуда! И песня мне твоя не нужна. Ну пусти меня... Ну...

ЕВДОКИМОВ. Только ты не плачь.

РАДИО. Следующая станция «Добрынинская».

НАТАША. Убери, пожалуйста, свои руки. Я не хочу, чтобы ты ко мне прикасался... Интересно, когда я придумывала эту шутку... вот точно знала, что ты в нее поверишь! Боялась и знала!

ЕВДОКИМОВ. И ты ни с кем не целовалась?

НАТАША (*почти с радостью*). Целовалась!

ЕВДОКИМОВ. Врешь.

НАТАША. Клянусь!

ЕВДОКИМОВ. С кем?

НАТАША. С летчиком!

ЕВДОКИМОВ. Зачем?

НАТАША. Нужно было!

ЕВДОКИМОВ. Зачем нужно было?

НАТАША. Этого ты не поймешь! За тысячу лет! Потому что ты эгоист! Понятно? Я его поцеловала... за то, что он человек Мы с ним два раза горели! Он — человек!.. И те, с кем мы горели,— тоже были люди! Я их привязала ремнями, и они сидели тихие, как огурчики! (*В порыве уничтожения.*) Все люди! Один ты эгоист! Отпусти меня!

ЕВДОКИМОВ. Нет. А я ремнями никогда не привязываюсь в самолетах. Ясно?

НАТАША. Думаешь, смелый? Вот когда-нибудь тебя так шлепнет — ух! (*Даже засмеялась от ярости.*) Пусти!

ЕВДОКИМОВ. Ладно. Буду привязываться ремнями.

НАТАША. Не смешно.

ЕВДОКИМОВ. Наташка, посмотри на меня.

НАТАША. Не хочу я на тебя смотреть. И откуда ты такой появился?

РАДИО. Следующая станция — «Октябрьская»... Следующая станция — «Курская»... Следующая станция — «Комсомольская»...

НАТАША (*она немного отошла*). Целое кругосветное путешествие.

ЕВДОКИМОВ. Может, выйдем?

НАТАША (*глядя на часы*). Нет, почти ничего не осталось... Знаешь, я ужасно проголодалась от всех этих объяснений. Ненавижу объяснения...

ЕВДОКИМОВ. Ты хочешь уйти?

НАТАША. Нет... У меня вчера была зарплата. Хочу пригласить любимого мужчину в ресторан.

ЕВДОКИМОВ. Спасибо.

НАТАША. Хорошо быть мужчиной. Я бы, наверное, десять лет жизни отдала... чтобы быть мужчиной!

Аэропорт. Угол зала у окна. Здесь днем торговал буфет, но сейчас буфет закрыт. И оттого угол зала почти не освещен: он пуст и темен. Свет — только от фонаря из окна. Два пустых «стоячих» столика. Прислонясь к подоконнику, стоит НАТАША, рядом у столика — ЕВДОКИМОВ.

Методичный голос радиодиктора передает объявления.

— Вылет самолета, следующего рейсом пятьсот восемьдесят шесть, Москва-Хабаровск, задерживается на один час по техническим причинам. Прибывший рейсом шестьсот тринадцать Тбилиси — Москва пассажир Цихмиладзе! Просьба зайти в коммерческий склад... Пассажиры, вылетающие рейсом четыреста пятнадцать, Москва — Сочи, просьба пройти на посадку...

НАТАША. Мне пора.

ЕВДОКИМОВ. Посмотреть, как ты будешь взлетать?

НАТАША. Нет. Это будет не скоро...

Молчание.

Да, так и забыла рассказать... как я читала. Ты знаешь, я действительно очень мало читала. Я даже не думала... (*Остановилась.*)

РАДИО. Пассажиры, вылетающие рейсом Москва — Сочи, просьба пройти на посадку.

НАТАША. Понимаешь, нам было очень легко... сначала... за это нужно расплачиваться. Дальше нам будет все тяжелее, тяжелее... потому что я хочу уважения. А я его, в общем, не заслужила... а я его хочу... потому что... ну я... я хорошо к тебе отношусь. Если бы я хуже относилась... я бы могла...

Молчание.

А сегодня я точно поняла... ты никогда не будешь... так ко мне относиться, как я хочу. Я всегда буду, в общем, чуть-чуть случайной...

ЕВДОКИМОВ. Ты дурочка... «в общем»...

НАТАША. Ну вот, мы так все время: «Дурак, дурочка...» — и больше ничего не можем сказать.

Молчание.

А опыт ... опасный?

ЕВДОКИМОВ. Чепуха. Прокрутим одну машину — и порядок.

НАТАША. Я почему-то думала — опасный. Мне всегда лезут в голову какие-то глупые мысли...

ЕВДОКИМОВ. Когда ты вернешься, у нас как раз будет вечеринка... по случаю отъезда на «Альфу». Я тебя познакомлю с моими друзьями... Только не надо...

НАТАША. Нет, нет, я не буду плакать. Я — все... Скажи только одну вещь: ну зачем я тебе нужна? Ведь тебе никто не нужен! Ты сам сильный!

ЕВДОКИМОВ (*вытирая ей лицо*). Ну что ты, Наташка.

НАТАША. Молчи. Я все равно буду плакать, наверное... Просто есть дни, когда все время плачешь. Глаза на мокром месте.

РАДИО. Бортпроводницу Александрову Наталью Федоровну просят пройти к самолету.

НАТАША. Дай я хоть немного попудрюсь. Что-то я вообще сегодня несдержанная. Опять погорела выдержка. (*Вдруг.*) Поцелуй меня... еще... еще, ладно?

ЕВДОКИМОВ (*целует ее в мокрое лицо и шепчет*). У тебя невероятные волосы. Я каждый раз удивляюсь, какие у тебя волосы.

НАТАША. Тихо, Эла, тихо... На нас все время смотрят.

ЕВДОКИМОВ. Пусть смотрят. (*Опять шепчет какую-то чепуху.*) На нас целый день смотрят. На нас всю жизнь смотрят... У тебя абсолютно золотые волосы.

НАТАША. Да, у меня лучшие волосы в СССР.

ЕВДОКИМОВ. Я напишу стихи о твоих волосах. Сентиментальные стихи о твоих волосах.

НАТАША (*счастливо*). Выдержка, Эла, выдержка...

РАДИО. Бортпроводницу Александрову Наталью Федоровну просят срочно пройти к самолету.

НАТАША. Я побежала, Эла.

ЕВДОКИМОВ. Давай, Александрова.

НАТАША. И пошустрее там с твоими машинами. Чтобы девушка могла тобой гордиться... Салютик, Эла.

ЕВДОКИМОВ. Салютик, Наташа.

Комната в НИИ. За столом — ГАЛЯ. Входит ЕВДОКИМОВ, просматривая на ходу «Вечерку».

ЕВДОКИМОВ. Первоклассное объявление: «Сто семьдесят пятая школа покупает скелет для ботанического кабинета. С предложениями о скелетах обращаться по телефону до четырех часов». Загнать бы скелетик.

Молчание. Евдокимов усаживаясь за свой стол, напевает. Звонок телефона.

(*Берет трубку.*) Семенов вышел... Знаете, я не в курсе... (*Кладет трубку.*) К нам рвется некий «корреспондент Владыкина». К чему бы это?

ГАЛЯ (*механически*). Я думаю, к дождю...

ЕВДОКИМОВ. Да, Семенов объявил... что тебя окончательно освободили от «Альфы»...

ГАЛЯ. Я знаю.

ЕВДОКИМОВ (*напевает*). «Эх, разрядушка, бухнем, а реакция сама пойдет...»

ГАЛЯ. Это даже к лучшему. У меня будет свободная среда. Ты знаешь, в среду в шахматном клубе... (*Остановилась, помолчала, небрежно.*) А я вчера вечером ездила на «Альфу».

ЕВДОКИМОВ. Чего это вдруг?

ГАЛЯ. Семенов посылал за режимами.

ЕВДОКИМОВ. Красиво там, да? Белые березы... «Эх, разрядушка, бухнем...»

ГАЛЯ. У меня там была уйма свободного времени. Я там... разглядела...

Молчание.

ЕВДОКИМОВ. Видишь ли... Мы с Владюшей с самого начала знали, что тебе не разрешат... И поэтому...

ГАЛЯ (*небрежно*). Евдокимыч, это все довольно рискованно...

ЕВДОКИМОВ. Да, есть кой-какой процент. (*Читая газету.*) «Киностудия покупает седые волосы и французские зажигалки...»

ГАЛЯ. Я даже думаю, что в двух случаях из четырех... вы кувырнетесь?

ЕВДОКИМОВ. Отличное слово — «кувырнетесь»!

Молчание.

Да, ты заметила, там на березах невероятное количество грачей? Миллиард грачей. Они так орут, точно у них круглый день идет совещание.

Звонок телефона.

(*Берет трубку.*) Семенов не приходил... Нет, не знаю. (*Кладет трубку.*) Опять безутешная Владыкина. Чтобы к нам пройти, нужно заполнить тысячу заявок.

ГАЛЯ. Да, вы здорово меня провели. Вы и Семенова, наверное, также провели. Он такой спокойный ходит. Вы, ребята,— молодцы.

Молчание. Далекие разряды.

Слушай, если говорить серьезно, Владик из нас всех... из всего выпуска... самый «сильный», да?

ЕВДОКИМОВ. Да.

ГАЛЯ. Ты помнишь, как его любил шеф? Он просто с ума от него сходил.

ЕВДОКИМОВ. Он сходил.

ГАЛЯ. Евдокимыч, не нужно его брать на «Альфу».

Звонок телефона. Евдокимов не подходит.

Слушай, он не поедет на «Альфу»!

ЕВДОКИМОВ. Поедет.

Телефон звонит безостановочно. Евдокимов не подходит.

Опять этот корреспондент. Я просто умру от этого трагического корреспондента.

В дверь просовывается голова ФЕЛИКСА.

ФЕЛИКС. Здравствуйте, отцы! Есть информация, что вы завтра уезжаете.

ЕВДОКИМОВ. Все правильно, Топтыгин.

ФЕЛИКС. Есть информация, что у вас сегодня вечер по случаю этого радостного события.

ЕВДОКИМОВ. И это точно.

ФЕЛИКС. Вот, все я знаю... Где Семенов? Его разыскивает какой-то корреспондент.

ЕВДОКИМОВ. Семенов на «модели».

ФЕЛИКС исчезает. Разряды.

Да, мы здорово выросли. Может быть, пройдет время — и этот опыт будет считаться классическим.

ГАЛЯ. Так вот. Если ты возьмешь его на «Альфу», я сейчас же все объясню Семенову. Придет Семенов, и я Семенову все объясню. Семенов не захочет за вас отвечать.

ЕВДОКИМОВ. Семенов, Семенову, Семеновым, о Семенове...

ГАЛЯ. Я тебя в последний раз прошу.

ЕВДОКИМОВ (*жестко, коротко*). Нет.

Молчание.

(*Читает.*) «Киностудия покупает седые волосы»... да, это я уже читал.

Входит Семенов.

ГАЛЯ. Петр Сергеевич!

СЕМЕНОВ. Да.

Молчание.

В чем дело, Галя?

ГАЛЯ (*после паузы*). Там какой-то корреспондент все время звонит.

СЕМЕНОВ. Уже... корреспонденты появились. Где Владик?

ЕВДОКИМОВ. Ушел домой.

СЕМЕНОВ. Передадите ему, что машина завтра придет за ним в ноль десять... Личная просьба, Галя. Вы сейчас посвободней всех, побеседуйте, пожалуйста, с корреспондентом. (*Уходя.*) Если будут звонить — я в проходной... вызволяю эту Владыкину. (*Уходит.*)

ЕВДОКИМОВ. У тебя хватило предусмотрительности сдержаться.

Молчание.

Кстати, Семенов обо всем, конечно, знает. Семенов первоклассный инженер. Смешно было подумать... Ну, ладно, проработаешь с ним побольше...

ГАЛЯ. Меня не интересует Семенов.

ЕВДОКИМОВ. Если что случится, Семенову снимут за нас голову. Но он рискует.

ГАЛЯ. Элик, ты пойми... Он — Владик!.. Нескладный и нелепый Владик! Я не хочу, чтобы он... Я его люблю. И он меня тоже!

ЕВДОКИМОВ. Отлично. Когда же это вы объяснились?

ГАЛЯ. Не важно. Я его люблю. И мы поженимся. А ты все хочешь уничтожить. Ты не человек. У тебя вчера одна, сегодня — другая, завтра — десятая! Ты сам... твои девчонки! Вы все — пошлые! Вы... Вы... (*Замолчала.*)

ЕВДОКИМОВ. Я в первый раз видел, как ты потеряла чувство юмора. Ты, оказывается, тоже впечатлительная.

ГАЛЯ. Замолчи.

ЕВДОКИМОВ. Ты очень здорово сказала о любви. Я даже вспомнил третий курс. Помнишь третий курс?

ГАЛЯ. Я просила: замолчи!

ЕВДОКИМОВ. Я тебе нравился на третьем курсе. Очень... Помнишь, нас послали на картошку... и мы шли с тобой ночью, к бревнам?

ГАЛЯ. Я не хочу слушать.

ЕВДОКИМОВ. Я тебе тогда невероятно нравился. Тебе потом никто так не нравился. Но ты

испугалась. Ты рассудила: дело может зайти далеко. Я ведь считался веселым мальчиком. Но тебя не интересовало, с чего это я был тогда такой веселый. Ты интересовалась только собой... И во имя себя ты предпочла... от меня держаться подальше.

ГАЛЯ. Я прошу тебя...

ЕВДОКИМОВ. А ты мне тогда ужасно нравилась. Я тебя любил тогда. Но ты убереглась. Ты молодец. Потом появился Владик. Ты рассудила, что в него можно спокойно влюбиться. В него не страшно влюбиться.

ГАЛЯ (*еле слышно*). Ну, хватит...

ЕВДОКИМОВ. Но даже тебе нужно немного романтики. И ты придумала эти глупые звонки по телефону. И он знает, что это ты звонишь. И ты знаешь, что он это знает. Сентиментальные развлечения кибернетической машины.

ГАЛЯ. Хватит!

ЕВДОКИМОВ. Все будет в порядке, Галка. Ты выйдешь за него замуж. Ты ведь сейчас беспокоишься за него тоже во имя себя. Бессознательно, но во имя себя... Не теряй юмора. Ты никогда не любила. Ты даже не знаешь, что это такое... И за это, если ты заметила, тебя вокруг тоже никогда не любили.

Разряды.

А насчет «Альфы» не беспокойся. Участвуют двое — я и Семенов. Владик — у приборов.

Молчание. Разряды слышнее. Входит молоденькая ДЕВУШКА с портфелем.

ДЕВУШКА. Здравствуйте, вот наконец и я.

ЕВДОКИМОВ. А кто же это «вы»?

ДЕВУШКА. «Я» — это корреспондент.

ЕВДОКИМОВ. Как же вас зовут, корреспондент?

ДЕВУШКА. Меня зовут Владыкина.

ЕВДОКИМОВ. Очень хорошо. Я Элик, а это — Галя.

ВЛАДЫКИНА (*поняла, засмеялась*). Ясно. А я Вера... Я к вам по такому делу. Проводим анкету среди молодых талантливых ученых. Что вы смеетесь?

ЕВДОКИМОВ. «Талантливых» — здесь не говорят. У нас употребляют термин «сильный» или еще «тянет» — «не тянет».

ВЛАДЫКИНА. Понятно. Среди «сильных» ученых, которые «тянут». Я отлично знаю, что ваша работа закрытая. Поэтому вопросы только общего характера.

ЕВДОКИМОВ. Ну например?

ВЛАДЫКИНА. Например: «Ваш любимый поэт».

ЕВДОКИМОВ. Больше всего я люблю греческого поэта Нофелета... Вы, наверняка много слышали о нем?

ВЛАДЫКИНА. Да... слышала.

ЕВДОКИМОВ. А ничего не читали?

ВЛАДЫКИНА. Что-то читала. Точно не помню.

ЕВДОКИМОВ. Поразительно. Как вы сумели? Нофелет — это телефон, но только наоборот.

ВЛАДЫКИНА. Да ну вас, я серьезно.

ЕВДОКИМОВ. Я не верю, что вы серьезно. Для этого вы слишком неглупая девушка. И я тоже —

несерьезный... Ну, вы не обижайтесь У меня зарез со временем, я завтра уезжаю. А Галя на все ответит. Она по любимым поэтам у нас мастерица.

ГАЛЯ. Не нужно.

ЕВДОКИМОВ. Не буду. Ну, до свидания, Галка. Я, может быть, не то сказал...

ГАЛЯ. Нет, все то. Ты что же, больше не зайдешь до отъезда?

ЕВДОКИМОВ. А ты не придешь сегодня на вечерок?

ГАЛЯ. Нет. У меня в шахматном клубе...

ЕВДОКИМОВ. Ну, тогда до свидания, Галчонок.

ГАЛЯ. Я желаю тебе...

ЕВДОКИМОВ. Я знаю. Все будет хорошо... А Веру проводи к Гальперину. Пусть ей покажут, как рвутся проволочки. Это всегда впечатляет. Салютик, Вера Владыкина. (*Уходит.*)

ВЛАДЫКИНА. Он очень странный.

ГАЛЯ. Да.

ВЛАДЫКИНА. Он, наверное, голодный. Я заметила: когда мужчины голодные, они становятся психами. Вот у меня брат...

Комната в квартире Владика. Звуки магнитофона, шум голосов за сценой. В комнате — торшер, наряженная маленькая елочка на шкафу, бесконечные книги. Входят НАТАША, ЕВДОКИМОВ, ВЛАДИК.

ЕВДОКИМОВ. Запри дверь.

Владик запирает.

(*Берет гитару. Садится.*) Мы молоды, в меру пьяны. Он, друг и любимая девушка. И он поет песню в честь друга Владика. (*Наташе.*) Можно?

НАТАША. Можно.

Стук в дверь.

ГОЛОС ИЗ-ЗА ДВЕРИ. Эй, Евдокимов, куда вы исчезли?

ЕВДОКИМОВ. Мы не исчезли. Мы философствуем.

ВТОРОЙ ГОЛОС. Эй, вы, философы у торшера! Отдайте гитару!

ЕВДОКИМОВ. Не отдадим. У вас магнитофон.

НАТАША (*Владику*). А у вас здесь очень много книг...

ЕВДОКИМОВ. Светские разговоры. Ну, вы! Кончайте стесняться. Давайте, знакомьтесь. (*Представляет.*) Наташа — лучшая девушка в СССР. Кроме того, она летает по воздуху.

НАТАША. Хватит?

ЕВДОКИМОВ. Стюардесса на международных линиях.

НАТАША. Ни на каких международных линиях я не летала. И вообще...

ЕВДОКИМОВ. Ну, ладно, ладно... Очень скромная. Завтра она полетит первый раз в Брюссель, между прочим. Вот так, друг Владюша. Мы с тобой — на «Альфу», а она — в Брюссель. Где справедливость?

НАТАША. Всегда ты смеешься. Никогда ничего не буду рассказывать!

ЕВДОКИМОВ. Ты молчи, скромная. Мы теперь будем встречать тебя в аэропорту. А то к ним пристают там разные пассажиры.

НАТАША. Какая чепуха... Откуда ты взял!

ЕВДОКИМОВ. Как откуда? Я сам всегда пристаю. Ну давайте что-нибудь споем хором.

ГОЛОС ИЗ-ЗА ДВЕРИ. Евдокимов, привет!

ЕВДОКИМОВ. Ура! Появился шумный Гальперин. Герой всех наших вечерин — Петр Семеныч Гальперин.

ГОЛОС. Евдокимов! Я только что прочел твою статью в «Вестнике». По-моему, это бред сивой кобылы.

ЕВДОКИМОВ. Уберите Гальперина!

ГОЛОС. Евдокимов! Я бы даже сказал, что это бред сиво-фиолетовой кобылы.

Хохот.

ЕВДОКИМОВ. Остроумные люди, однако, наши современники!

ГОЛОС. Слушай! Правда, ты привел какую-то потрясающую девушку?

ЕВДОКИМОВ. Привел.

ГОЛОС. Ну открой, дай посмотреть.

ЕВДОКИМОВ. Не дам.

ГОЛОС. Почему?

ЕВДОКИМОВ. Сглазишь.

ГОЛОС ФЕЛИКСА (*из-за двери*). Отцы! Почему вы так уединились? Мы грустим о вас.

ГОЛОС ГАЛЬПЕРИНА. Я Феликса с собой притащил.

ГОЛОС ФЕЛИКСА. Чувствую вашу радость при этом известии. Я мечтаю увидеть вашу девушку. Я стремлюсь к вам, как усталый путник стремится к живительному ручью.

Евдокимов встает, открывает дверь.
Входят Феликс и Гальперин.

ГАЛЬПЕРИН (*здороваясь с Наташей*). Петя Гальперин. (*Евдокимову.*) Кое-что получается с проволочками. Нужно поболтать.

ФЕЛИКС. Петя Гальперин, ты — Прометей. Ну не томись. Поздоровался с хозяевами и исчезай. Отпустите, пожалуйста, Прометея Гальперина на побывку на танцы. Там с ним пришла золотистая корреспондентка...

ГАЛЬПЕРИН (*задумчиво*). Странная вещь. Почему-то летом и весной появляется большое количество красивых девушек. А вот зимой совсем не так.

ФЕЛИКС. Зимой у них спячка.

ГАЛЬПЕРИН уходит. Молчание.

(*Евдокимову.*) Что же ты не познакомишь меня с девушкой, отец?

НАТАША. Не надо притворяться. Мы с тобой отлично знакомы, Феликс.

ФЕЛИКС (*почти удивленно*). Действительно... знакомы... Мы живем с Наташей в одном доме. Соседствуем, так сказать.

НАТАША (*тихо, отрывисто Евдокимову*). Знаешь... это... он.

ЕВДОКИМОВ. Знаю.

НАТАША (*удивленно глядит на него*). А ты... правда очень умный.

ФЕЛИКС. С Новым годом! С новым счастьем! Как будто у кого-то старое счастье. (*Усаживается.*) Хорошо, что я к вам пришел в гости. Вот Владик не находит? Ну и не надо. Я все равно пришел... Можно мне немного с вами помыслить? Представляете, где-то там, в просторах Вселенной, вертится голубая планета Земля. И вот в одном из тысяч городов, на одной из миллионов улиц, в одном из миллиардов домов сидят грустные мальчики — мужчины и грустная девочка — женщина. И мыслят. Давайте, мальчики, помыслим.

ЕВДОКИМОВ. О чем же помыслим, Топтыгин?

ФЕЛИКС. Несущественно. Теперь все время о чем-то мыслят. Как у Гоголя. Помните, у Чичикова был какой-то лакей. Он ужасно любил читать. Ему было абсолютно все равно, что читать. Ему нравился сам процесс чтения. Так вот, помыслим ради процесса, мальчики?.. А Евдокимов ужасно бесится, когда его называют мальчиком. Он в институте всегда прибавлял себе годы. Тяга к зрелости... Евдокимов, ты у нас старикан-старичище...

ВЛАДИК. К чему вся эта болтовня?..

ФЕЛИКС. Какой ты конкретный человек, Владик. Вот ты сидишь такой умный. Невероятно меня презирающий. Вечно невозмутимый. Оракул из почтового ящика... А на самом деле ты очень прост. И вообще сентиментален. И твоя отроческая любовь к Г. О...

ЕВДОКИМОВ. Слушай, Топтыгин...

ФЕЛИКС. Молчу. Кстати, ты тоже очень прост. Ты все время хочешь походить на Владика. Но у тебя это плохо получается... Эта голубая планета ужасно вертится. Не могу сосредоточиться. Трясет.

НАТАША. Я никогда не думала, что ты станешь фигляром. (*Евдокимову.*) Потанцуем.

ЕВДОКИМОВ. Сиди.

ФЕЛИКС. Поймал!..

ЕВДОКИМОВ. Что?

ФЕЛИКС. ... Мысль... Я просил Семенова разрешить мне вернуться в отдел.

ЕВДОКИМОВ. Дальше.

ФЕЛИКС. Семенов сказал, что он не возражает. Он сказал, что я неплохой человек.

ВЛАДИК. Неплохой человек — это еще не профессия.

ФЕЛИКС. Ясно. Деловая часть закончена. Элик, сыграй что-нибудь.

ЕВДОКИМОВ. Нет.

ФЕЛИКС. Зря. Я очень люблю, когда ты поешь... (*Евдокимову.*) Предлагаю игру.

ЕВДОКИМОВ. Что за игра, Топтыгин?

ФЕЛИКС. Народная. Собираются на голубой планете Земля двое. Чуть поддают и начинают говорить друг другу правду... А они пусть потанцуют.

НАТАША. Я не хочу.

ЕВДОКИМОВ. Потанцуй.

НАТАША. Потанцевать, да?

ФЕЛИКС. Не волнуйся, Наташа. Мы мирные люди. Игра у нас будет совершенно мирная. Вы потанцуйте пока.

Владик усмехается,
начинает танцевать с Наташей.

(*Евдокимову.*) А здорово ты ее подмял. Полная потеря индивидуальности. Каждая женщина — немного «душечка»... Итак, правда первая. Вы не возьмете меня обратно?

ЕВДОКИМОВ. Нет.

ФЕЛИКС. Почему?

ЕВДОКИМОВ. Потому... что.

ФЕЛИКС. Правда вторая. Ты можешь успокоиться. Она сама меня бросила. Для таких, как ты, это важно.

ЕВДОКИМОВ. Может, хватит, Топтыгин?

ФЕЛИКС. Я не Топтыгин. Я животворный оптимист. Кстати, хотите узнать третью правду — как становятся животворными оптимистами?

ЕВДОКИМОВ. Ай-яй-яй, как образно!

ФЕЛИКС. А знаешь, ты прав: это все смешно. Невероятно смешно. Ему тоже стало смешно. Так смешно, что он до сих пор не может остановиться. Все смеется на голубой планете Земля. Давайте смеяться! Он полон смехом, как беременная рыба икрой. Впрочем, рыбы называются не беременными, а как-то иначе.

НАТАША. Не надо больше, Феликс.

ФЕЛИКС. Чего не надо?

НАТАША. Говорить больше не надо. И пить тоже.

ФЕЛИКС. А я это не им рассказывал, Наташа.

НАТАША. Я... все поняла. (*Мягко.*) Но больше не надо, ладно?..

ЕВДОКИМОВ. Ты сложный человек.

ФЕЛИКС. Не говори.

ЕВДОКИМОВ. Ты простой человек. Ты прост как... как...

ФЕЛИКС. Потом придумаешь, как что я прост.

ЕВДОКИМОВ. И еще, Топтыгин, я ненавижу людей, которые...

НАТАША. Перестань, Эла. (*Подойдя к Феликсу, тихо.*) Ты знаешь, Феликс, вот мне отчего-то кажется... что все у тебя будет хорошо. Поверь мне... У меня на это нюх... Все будет просто великолепно. А сейчас иди домой.

ФЕЛИКС. Можно мне с тобой потанцевать?

НАТАША. Потанцевать, да? Ну конечно, давай потанцуем.

ФЕЛИКС. Нэ. Пожалуй, нэ надо. Ты грустная девушка, я тоже грустный. Двое грустных — это уже коллектив. А по-моему, мы все должны быть веселыми, как утренние воробьи. Как скворцы в мартовской роще... Вы когда уезжаете завтра?

ВЛАДИК. В ноль десять.

ФЕЛИКС. Желаю удачи... Проводи, хозяин.

ФЕЛИКС и ВЛАДИК уходят.

ЕВДОКИМОВ (*Наташе*). Чего ты сидишь?

НАТАША. А что мне делать?

ЕВДОКИМОВ. Танцевать. Или, может, пойдешь поцелуешь его, как того летчика?

НАТАША. Вообще, надо бы.

ЕВДОКИМОВ. Слушай, серьезно, ты шизофреничка?

НАТАША. Ты знаешь, Эла, я на тебя не обижаюсь. Тебе все это очень трудно понять. У тебя всегда было в жизни все... неплохо. А вот у него — не вышло. Не все люди такие сильные, как ты... Но с возрастом, наверное, у всех появляется потребность уважать себя. У него — тоже... Я не понимаю, о чем он вас просил. Но он просил. А ты на него плюнул.

ЕВДОКИМОВ. Закончила, да?

НАТАША. Ну что с тобой говорить? В тебе есть один... дефект: ты совершенно, ну ни капельки не умеешь жалеть людей. Это потому, что тебя еще ни разу не трахнуло в жизни. Вот когда-нибудь разочек трахнет... и ты сразу станешь все понимать.

ЕВДОКИМОВ. Так как же насчет поцелуя?

НАТАША. Какой ты дурачок сейчас.

ЕВДОКИМОВ. Вот что, умница. (*Бешено.*) Бери своего Феликса, свой плащ... и все втроем — двигайтесь отсюда!

НАТАША. Хорошо. (*Пауза.*) До свидания.

Он молчит. Она уходит. Возвращается ВЛАДИК, усмехнулся, сел.

ЕВДОКИМОВ (*хмуро*). Ерундой много занимаемся. Работать перестали.

ВЛАДИК. Я сразу понял, что ты в нее влюбишься. Единство противоположностей.

ЕВДОКИМОВ. Спасибо, что объяснил. Никак не мог понять, чего это я в нее влопался.

ВЛАДИК. Ты ужасно разговариваешь. Впрочем, жаргон — это язык шиворот-навыворот. Язык мо-

лодости. Однажды мы заговорим правильно — и это будет означать, что молодость прошла.

ЕВДОКИМОВ. Нет, как ты умеешь все объяснить! До завтра.

ВЛАДИК. До завтра...

ЕВДОКИМОВ выходит. Владик один. За сценой звуки магнитофона, смех, говор.

На следующий вечер. Квартира Евдокимова.
ЕВДОКИМОВ один. Часы бьют половину одиннадцатого.
Звонок телефона. Евдокимов бросается к трубке.

ГОЛОС ВЛАДИКА (*из трубки*). Привет.

ЕВДОКИМОВ (*разочарованно*). Ты...

ГОЛОС ВЛАДИКА. Звонил Семенов: машина за тобой придет к двенадцати.

ЕВДОКИМОВ. Ясно.

ГОЛОС ВЛАДИКА. Ты что сейчас делаешь?

ЕВДОКИМОВ. Читаю.

ГОЛОС ВЛАДИКА. Ждешь ее?

ЕВДОКИМОВ. Не люблю, когда ты разговариваешь на эти темы. Кстати, захвати карты, а то в свободное время мы взбесимся от скуки. (*Кладет трубку. Продолжает расхаживать по комнате.*)

Резкий звонок у входной двери. Евдокимов улыбается,
бросается открывать. Шум, голоса. Евдокимов
возвращается очень хмурый с МАТЕРЬЮ и ОТЧИМОМ.
Мать — моложавая женщина в очках, тип «женщин —
научных работников». Отчим — ее возраста, сухой,
кашляющий, очень застенчивый.

МАТЬ. Никогда не предполагала, что ты вечером будешь дома. Сразу открой форточку — здесь

отчего-то ужасно пахнет клопами. (*Открывает форточку.*) Электрон, унеси из передней чемоданы Аникина.

ОТЧИМ. Зачем же. Я сам могу их унести. (*Выходит.*)

МАТЬ (*шепотом*). Ты понимаешь, такое событие: Аникина выдвинули в членкоры. Мы сразу вылетели. А Генку оставили. Ему там очень хорошо. Я только боюсь, что он сойдет с ума от свободы...

ЕВДОКИМОВ выходит.

Нет, отчего так пахнет клопами? (*Вдруг что-то заметила на полу. Подняла. Разглядывает. Усмехнулась. Положила в карман.*)

Звонок телефона. ЕВДОКИМОВ бросается к телефону.
Из своей комнаты бросается
к телефону и отчим.

ЕВДОКИМОВ (*успевает раньше*). Алло... (*Хмуро, отчиму.*) Вас.

ОТЧИМ (*берет трубку*). Да, я. Здравствуй, Семен... Невероятно комическое обстоятельство... Сегодня заключительный тур... Ну, если я скажу, что это мне безразлично, ты ведь все равно не поверишь... (*Смеется.*) Варианты такие: Федосевич — слишком молод... Попов — вообще не обременял себя наукой. Он деятель больше общественный... Ваш покорный слуга тоже сделал в науке весьма маловато. (*Замолчал, выслушивая с улыбкой ответный поток слов, в котором содержалась вся высокая степень оценки его заслуг.*) Ну, ну, ну... Может быть, Репин? Но он всем и вся насолил. Так что остается

пока гадать... Ну, звони, звони. (*Вешает трубку.*) Дорогая, Борисов передает тебе привет.

МАТЬ. Но откуда у нас все-таки пахнет клопами? Может быть, они к нам переползли?

ОТЧИМ. Я, собственно, ничего не чувствую.

МАТЬ. Мужчины никогда ничего не чувствуют. Нет, определенно переползли из двенадцатой квартиры... Электрон, почему ты не интересуешься братом Геннадием?

ЕВДОКИМОВ. Интересуюсь.

МАТЬ. Он становится до невозможности похож на тебя. Он у всех знакомых девушек спрашивает, не знают ли они Нофелета. Помнишь эту твою шутку, которую ты придумал в седьмом классе?

ЕВДОКИМОВ. Помню.

МАТЬ. Дивный парень! Абсолютно влюблен в математику. И при этом пижон страшнейший. Он читал какие-то стихи и что-то перепутал. А Нинель Борисовна его поправила. И он абсолютно невозмутимо ей сказал: «С точки зрения трехзначной логики это все несущественно». Чем привел своего отца, гуманитария Аникина, в совершенный восторг.

ЕВДОКИМОВ (*тихо*). Кретин.

МАТЬ. Что с тобой?

ЕВДОКИМОВ. Ничего. Вспоминаю, какой я был кретин. Кстати, что это за записочки валяются на всех столах? (*Читает.*) Федосевич — шесть, Репин — восемь.

МАТЬ. Тсс... Это Аникин подсчитывает варианты. (*Смеется.*) А говорит, что ему все равно. Отлично!

Евдокимов хочет уйти.

Электрон, почему на кровати должны лежать мыльницы?

ЕВДОКИМОВ. Я уезжаю сегодня на «Альфу».

МАТЬ. Как — уезжаешь?!

ЕВДОКИМОВ. В двенадцать.

МАТЬ. Ну что же ты молчал? Что у вас там?!

ЕВДОКИМОВ. Да так.

МАТЬ. Любопытное что-нибудь?

ЕВДОКИМОВ. Да нет, обычная ерунда.

МАТЬ. Передавай привет Семенову. Так. Значит, тебе нужно сесть и внимательно продумать, что ты с собой возьмешь, а не бегать все время к телефону, как ошпаренный таракан. Главное, не забудь зубную щетку.

Звонок. Отчим и Евдокимов тотчас бросаются к телефону.

ЕВДОКИМОВ (*успев раньше*). Алло! Вы не туда попали. (***Вешает трубку, выходит.***)

В комнате МАТЬ и ОТЧИМ.

МАТЬ (*вынимая что-то из кармана*). Аникин, что это?

ОТЧИМ. По-моему, это шпилька.

МАТЬ. Я нашла ее на полу.

ОТЧИМ. Он вроде взрослый мальчик.

МАТЬ. Не в этом дело. Я удивляюсь, что ты ничего не видишь. Он стал очень странный. Эта беготня к телефону... Он влюблен! Неужели ты не видишь! А я совершенно не знаю, кто она! (*Нюхает ветку эвкалипта. Торжествующе.*) Так

вот! (*Выдергивая ее из вазы.*) Значит, от этой страшной ветки пахло клопами! Ее нужно немедленно уничтожить. (*Выходит.*)

Звонок телефона. Евдокимов и отчим бросаются к телефону.

ЕВДОКИМОВ (*успевая раньше*). Алло! (*Мрачно.*) Вас.

ОТЧИМ (*берет трубку*). Здравствуй, Николай!.. Понимаешь, комическое обстоятельство. (*Замолкает, выслушивая поток слов собеседника.*) Ну, спасибо, спасибо. (*Кладет трубку, уходит.*)

Возвращается МАТЬ.

МАТЬ. Ты положил в чемодан зубную щетку?

ЕВДОКИМОВ. Положил.

МАТЬ. Боже мой, пятнадцать минут двенадцатого. Нужно что-то тебе приготовить. Куда-то девались все сковородки. После лета все сковородки куда-то исчезают. Ты понимаешь, кажется, Аникина все-таки изберут.

ЕВДОКИМОВ. Меня это мало интересует.

МАТЬ. Тебя сейчас ничего не интересует.

ЕВДОКИМОВ. Здесь стояла ветка. Куда ее дели?

МАТЬ. У нее был клопиный запах. Я ее выбросила.

ЕВДОКИМОВ. (*кричит*). Это была моя личная ветка! И я никого не просил!..

МАТЬ. Ну, ладно... Ладно...

Молчание. Он собирает чемодан.

Элик!

ЕВДОКИМОВ. Да?

МАТЬ. Мы с тобой редко разговариваем. Я всегда занята. Я неважная мать. Но я бы хотела, чтобы ты мне ее показал.

ЕВДОКИМОВ. Кого?..

МАТЬ. Ее... ее. (*Выходит.*)

Евдокимов один. Часы бьют половину.

ЕВДОКИМОВ (*грустно усмехается*). Все...

МАТЬ (*входя*). Одну сковородку я обнаружила в ванне. Почему?.. Ну, серьезно, Элик, я хоть раз ее видела?

ЕВДОКИМОВ. Кого?

МАТЬ. Ну, ее... которая сюда приходила.

ЕВДОКИМОВ. Не нужно, мамочка. Чушь все это. Приходила, уходила... Одна, другая... все это несерьезная чушь. (*Уходит.*)

МАТЬ. Аникин! Аникин!

Из своей комнаты выходит ОТЧИМ.

Неужели я опять ошиблась?

ОТЧИМ. Нет. Федосевич слишком молод... Они это не любят... (*Трагически.*) Но Попов?!

МАТЬ (*столь же трагически*). Он, кажется, ни в кого не влюблен!

ОТЧИМ. Ну вот и хорошо, а ты волновалась.

МАТЬ. Что ж тут хорошего, Аникин? Ну почему он такой? Ну почему он не умеет любить?!

Парадное дома Евдокимова. В парадном НАТАША, в форме и с чемоданчиком. Стоит, прислонясь к клетке лифта. Надпись «Лифт не работает».

По лестнице спускается ЕВДОКИМОВ, тоже с чемоданчиком. Они стоят и смотрят друг на друга.

ЕВДОКИМОВ. Ясно.

НАТАША. Я просто проходила мимо и решила...

ЕВДОКИМОВ. А позвонить ты не могла?

НАТАША. Понимаешь, я не знала, удобно ли это. Я как раз по лестнице поднималась... Там к тебе кто-то приехал... Я и решила подождать здесь... немного.

ЕВДОКИМОВ. Значит, ждешь два часа?

НАТАША. Два или двадцать два... не помню и не важно.

ЕВДОКИМОВ. Я люблю тебя, Наташа.

НАТАША (*почти испуганно*). Что ты?

ЕВДОКИМОВ. Я очень люблю тебя.

НАТАША. Ну, тише, тише... А наверное, справедливость все-таки есть. Я загадала: если мы с тобой встретимся сегодня, значит, есть справедливость.

Евдокимов целует ее.

Ну, не надо. Ну, не хочу я... Ну вот, всегда ты пользуешься своей силой.

Он целует ее.

НАТАША. Да не любишь ты меня. Ты просто так, «чмокальщик». Ну целуй! Целуй! Все равно тебя брошу. И мы совсем не подходим друг к другу.

Он целует ее.

Ты эгоист. Ты терпишь меня за то, что я к тебс хорошо отношусь. А доброту вообще... ты не пони-

маешь! Брошу я тебя! Вот соберусь с силами и брошу... Просто у меня сейчас с выдержкой плохо.

ЕВДОКИМОВ. Я люблю тебя, люблю...

Гаснут и вспыхивают фары, освещая парадное.

Я ходил к тебе домой.

НАТАША. Я знаю. Я у Лильки жила. Я только сегодня с матерью помирилась. Она мне трет морковный сок. Все равно не поправлюсь. Она говорит, что не в коня корм... Элка... Я больше не могу так... Я все думаю... и реву... Ты молчи, молчи... Я каждое утро с тобой разговариваю. Вот проснусь и спорю с тобой, как идиотка. Ты только молчи. Все как надо. Так и должно было быть. И всегда ты обо мне бог знает что будешь думать. И правильно! Девчонка, с которой ты познакомился в кафе... А! Это невозможно. Ты не имеешь права ...! Потому что... Элка — мой, мой, мой. Я люблю тебя. Я немыслимо... я даже не знала, что так можно... Элка, я хочу... Я не виновата! Откуда я знала, что я тургеневская барышня!! Потому что... Ты молчи, молчи... Это нам — за все... Что это светит?

ЕВДОКИМОВ. Машина. За мной.

НАТАША. Вот и хорошо. Иди, иди.

ЕВДОКИМОВ. Наташка.

НАТАША. Молчи. Потом... А сейчас иди, иди.

ЕВДОКИМОВ. Боишься, как всегда, быть обузой?

НАТАША. Знаешь, я тебе подарю этого орла. (*Снимает с груди птичку.*)

ЕВДОКИМОВ. Тебе не попадет?..

НАТАША. Уезжай, уезжай, наконец.

ЕВДОКИМОВ. У нас все дела закончатся к двадцать первому. Значит, двадцать второго — у метро «Динамо».

НАТАША. Я тоже улетаю сегодня утром.

ЕВДОКИМОВ. К двадцать второму-то прилетишь?

Она кивает.

У метро «Динамо». В семь часов.

НАТАША. Ну, разлетелись в разные стороны?

ЕВДОКИМОВ. Ты вспоминай там обо мне.

НАТАША. Все твои дела будут хороши! Иди, иди, Эла!

ЕВДОКИМОВ. Салют, Наташка. Привет Брюсселю!

У метро «Динамо». Очень солнечный день.
Бравурная музыка.
У метро столпотворение. Сегодня — большой футбол.
В стороне — большой щит с плакатами. На одном — стюардесса с поднятой кверху рукой.
И надпись «Летайте самолетами Аэрофлота».
У щита ВЛАДИК и ЕВДОКИМОВ с цветами.

ЕВДОКИМОВ (*плакату*). Приветик, Наташа... Сто лет не покупал цветы девушке.

ГОЛОС. Нет лишнего билетика?

ЕВДОКИМОВ. Нет... Ты знаешь, когда мы сегодня утром уезжали, я посмотрел на Семенова. У него была такая счастливая рожа. И только тогда я понял: «Выиграли». Наверное, ради таких минут живут люди... Завтра все это будет очень привычным.

ГОЛОС. Есть лишний билетик?

ЕВДОКИМОВ. Есть... в баню.

ГОЛОС. Охламон ты!

ЕВДОКИМОВ. Согласен, друг, я — охламон... Люблю ходить на футбол, Владька. Азарт.И можно орать! Эта Наташа — действительно лучшая девчонка в СССР. Вот она сейчас придет, и я при тебе на весь стадион это проору! (*Смеется.*)

Появляется ИРА. Оглядывается. Замечает Евдокимова и останавливается в стороне.

ВЛАДИК. Только не при мне.

Входит веселый ГРАЖДАНИН.

ГРАЖДАНИН (*Евдокимову*). Здорово!

ЕВДОКИМОВ. Привет деятелям балалайки.

ГРАЖДАНИН. Ну, как сложится игра?

ЕВДОКИМОВ. «Динамо» штуки две положит на калитку.

ГРАЖДАНИН. Вот такие дела... Вот окончилась эра колониализма? Ушла, значит, в безвозвратное прошлое? Вот так же точно закончилась эра господства московских команд. Стремительный Блохин в Москве есть?

ЕВДОКИМОВ. Нет в Москве стремительного Блохина.

ГРАЖДАНИН. А искусный Лобановский где, в Москве? (*Владику.*) Ты как считаешь?

ВЛАДИК. Когда я вижу, как двадцать два взрослых человека гоняют один надутый шар, я отчего-то сразу вспоминаю, что всего двести пятнадцать миллионов лет назад землю населяли гигантские ящеры.

ЕВДОКИМОВ. Не обращайте внимания, он сухой. (*Владику.*) Ты посмотри, как на нас смотрит эта кроха. (*Шепотом.*) Владюша, ты ей нравишься.

ГРАЖДАНИН (*Евдокимову*). А где же твой Чернышевский?

ЕВДОКИМОВ. Вот скоро должен подойти... А я вот точно знал, что я вас сегодня встречу.

ГРАЖДАНИН. Откуда же ты знал?

ЕВДОКИМОВ. Я всегда знаю, что со мной случится. У меня на небе есть специальный человек. Он заведует моими удачами... Ну, как ваша балалайка?

ГРАЖДАНИН. Бросил.

ЕВДОКИМОВ. Чего так?

ГРАЖДАНИН. Понимаешь, чувство юмора не позволило. Бросил балалайку — и ушел в цирк.

ЕВДОКИМОВ. Что вы говорите! Чем же вы занимаетесь в цирке?

ГРАЖДАНИН. Иллюзией... Достаю из воздуха разные чашки, ложки...

ЕВДОКИМОВ. Очень полезная вещь. А вот бифштекс вы не смогли бы достать из воздуха? А то я с утра сегодня голодный.

ГРАЖДАНИН. Нет.

ЕВДОКИМОВ. Чего ж так слабо?

ГРАЖДАНИН. Иллюзия так не делается. Для иллюзии, пташечки мои, букашечки, всегда нужен партнер. (*Усмехнулся.*) Для иллюзии нужны двое. (*Уходит.*)

ИРА (*подходя к Евдокимову*). Простите, вы Евдокимов?

ЕВДОКИМОВ. Допустим.

ИРА. Можно вас на минутку?

ЕВДОКИМОВ. Можно.

Отходит в сторону. Теперь они стоят на проходе.

ГОЛОС. Не намечается лишний билетик?

ИРА. Нет... Вы ждете Наташу?

ЕВДОКИМОВ. Да.

ГОЛОС. Нету лишнего билета?

ИРА. Нету... Она мне объяснила, что вы ее должны здесь ждать. Она очень хорошо описала вас...

ЕВДОКИМОВ. В чем дело?

ГОЛОС. Нет лишнего билета?

ИРА. Нет... Она не придет. Потому что...

ГОЛОС. Нет билетика?

ИРА. Она ужасно волновалась. У вас там сегодня что-то происходило на работе. Она не придет.

ГОЛОС. Нет билета?

ИРА. Нет... Они сели на аэродром. Я как раз была на поле. У них загорелось. Ну, она всех выпускала, выпускала...

ГОЛОС. Молодежь, нет лишнего билетика?

ИРА. Выпускала пассажиров и не успела... Потом она пришла в себя... и все говорила... и все волновалась, как у вас там.

ГОЛОС. Ребята, есть билетик?

ИРА. Она еще долго жила, два часа... Она просила передать вам, что главное — выдержка. Я пойду.

ЕВДОКИМОВ. Да.

ИРА. Я вам еще позвоню. У меня есть ваш телефон.

ГОЛОС. Нет лишнего?

ИРА. Нет... Я записала ваш телефон. А сейчас я пойду. До свидания. (*И она резко повернулась, почти побежала.*)

Евдокимов молча стоит. Потом повернулся лицом к Владику.

ВЛАДИК. Элька!! Ты что?!

ЕВДОКИМОВ. Ничего. Ты иди. (*Подошел к барьеру. Сел.*)

Владик неподвижно стоит рядом. Начинают передавать составы играющих команд. Звук постепенно затихает. Шум стадиона уже не слышен. В мире — тишина. Они не двигаются. Сколько прошло времени? Наверное, много. Потому что начал гаснуть дневной свет. Темнота сгущается. Виден только огонек сигареты.

ГОЛОС ЕВДОКИМОВА. Так не бывает.

ЕЕ ГОЛОС. Бывает, Эла.

— Я даже не подарил тебе цветов. Но ты и не хотела.

— Я очень хотела.

— А моя подушка пахнет твоими волосами. Когда мы заканчивали опыт, я все время об этом вспоминал.

— Смени наволочку — вот и все. Потрясающе, что у тебя все вышло Девушка тобою гордится. (*Смех.*)

— Я все время слышу твой смех. У тебя невероятный смех.

— Лучший смех в СССР.

— Было очень страшно?..

— Да... Когда пошел дым, все туристы повскакали. Это тебе не геологи, тихие, как огурчики. Я их успокаивала... И забыла слово по-английски. И все вспоминала... и потом... А!

— Я идиот. Все было не так!

— Все было так. Я ни о чем не жалею.

— Ты была такая грустная в парадном.

— Я была счастливая. Ты знаешь, я просто сдерживалась, чтобы не закричать от счастья, потому что поняла, ты меня вправду любишь.

— Нет, так нельзя! Так не бывает!

— Выдержка, Эла. Главное, выдержка! По-английски «выдержка» — это...

Становится чуть светлее. У метро по-прежнему двое.

ЕВДОКИМОВ. Кончились сигареты.

ВЛАДИК. Я сейчас где-нибудь достану...

Молчание.

ЕВДОКИМОВ. Не надо. Пошли...

Они встают и молча уходят.

Совсем светает. Появляется первая расклейщица афиш. Насвистывая, она заклеивает старые афиши. На доске остается только один старый плакат — стюардесса с поднятой кверху рукой.

Актер (Лицо)

АКТЕР (ЛИЦО)

Актер Б.:

— Вы не хотите выпить со мной кофе? Недавно один старый актер сказал мне: «Вы не хотите выпить со мной кофе? А то мне буквально не с кем выпить кофе — все сверстники умерли»... Нет, я не думаю, что я стар, не беспокойтесь. Дело идет лишь к шестидесяти, как до этого шло лишь к пятидесяти... Значит, вы хотите, чтобы я рассказал о Мещерякове? Теперь всем интересно о Мещерякове... Я преподавал в театральном училище вместе с режиссером К., точнее, «с тем самым режиссером К.», как принято, было тогда говорить. Мещерякова мы с тем самым режиссером К. впервые увидели на приемных экзаменах.

Представьте себе: восемнадцать лет, античный профиль, кудреглав, конечно, рост, фигура и т.д. и т.п., короче: Василий Буслаев, былинный добрый молодец. Мы, как никто, склонны к эпидемиям. Нам бы только чем-нибудь заразиться. Тогда все приболели итальянским кино — неореализм, поправдашние лица, поправдашний быт... А тут является красавец,

Василий Буслаев, былинный добрый молодец... Да, это я уже говорил. Повторяюсь. Легкий склероз. Знаете, когда Эйзенштейн умер, у него не было никаких признаков склероза — только сердце разорвано в клочки инфарктами. Кажется, я удостоюсь и того, и другого... О чем мы говорили? О лице — о прекрасном лице этого Мещерякова. И о том, что я подумал тогда... Да, я подумал — какой прелестный сюжетец для небольшого рассказа»! Живет в городишке, в каком-нибудь Мордоплюйске, красавец: голос, темперамент, восторги самодеятельности, посылают его в Москву за славой в театр.

Одновременно существует некий гадкий утенок, худой, невысокий, хрипатый, короче, некрасивый. Мечтает втайне о сцене, но боится — куда с таким рылом в калашный ряд! И все-таки решается... Я говорю об Осьмеркине. Да, он был с того же курса — прекрасный был курс. И вот оба они поступают в театральное. И тут-то выясняется парадокс: оказывается, все прелести и аполлонистое лицо Мещерякова отнюдь не подарок судьбы, но более того — ее наказание. Сюжет, сюжет! Можно сделать довольно страшную комедию... Послушайте, напишите! И с какой-нибудь ролькой для меня. Небольшой, но милой ролькой. На большую я уже не претендую, не хватит памяти. Напишите, родной, уверяю — не раскаетесь. Я ведь тоже, говорят, очень неплохой артист. Вот умру, вывесят на моем доме на стене мемориальную доску, как умывальник, а вы будете проходить мимо и терзаться: «Не написал я ему рольку, злодей!»... Да, о чем мы?

О Мещерякове. Помню, на каком-то курсе принес режиссер К. нашим студиозусам отрывок из пьесы — подготовить самостоятельно. Как же называлась эта пьеса? Не вспомню! И не надо... Короче, это была современная пьеса о любви. Содержание: некий молодой парнишка знакомится с девицей и уводит ее к себе домой. Ну, естественно, на роль героя — уводить девицу — вызвался наш Буслай Аполлоныч Мещеряков. Тогда режиссер К. попросил подготовить ту же роль Осьмеркина. Потом оба они показали свои достижения. И вот тогда-то режиссер К., кажется, в первый раз сказал Мещерякову о его лице... Черт возьми, мне было сорок лет. Замечательно! Что он ему сказал? Какое это имеет значение... Его — нет, как нет и тех сорока лет! Жуткая профессия... Так привыкаешь к репликам... Ни словечка в простоте...

Режиссер К. сказал тогда студенту Гоше Мещерякову:

— Понимаете, Мещеряков, когда на сцене человек с таким редкостно красивым лицом ухаживает за девушкой, зритель совершенно уверен, что она уйдет с этим красавцем. Более того, друг мой, зритель жаждет, чтобы она не ушла, чтобы она оказалась хоть чуточку умнее, нравственнее, что ли... Но когда она все-таки уходит с вами, у зрителя остается презрение к ней и ненависть к вам за то, что вам дано лицо, которое может сразу, наповал оглушить женщину. Если прибавить к этому ваш бешеный темперамент, то получается сцена не о любви, а о похоти, о дряни, пусть простят меня присутствующие... Что произошло, когда тот же отрывок показал Осьмеркин? При его, скажем, не очень взрачной внешности, естественно, вначале девушка не обращала на него никакого внимания. Но он так разговаривал с девушкой, так сумел убедить ее и нас, что он одинок, что он умен, что он верит в любовь и жаждет ее... И в результате мы поняли: все это для него не очередное похождение, а вопрос о человеческом доверии, вопрос о победе над одиночеством, вопрос жизни и смерти, если хотите. Поэтому, когда девушка ушла с Осьмеркиным, мы были благодарны ей за то, что она разглядела человека, за то, что у нее есть сердце. И получилась история о любви... Вы должны понять, Мещеряков, у вас — опасное лицо. Понимаете, какой парадокс: вы обязаны быть на сцене во сто крат умнее, интереснее Осьмеркина, чтобы зритель простил вам несравненную вашу внешность. И если этого не случится, вам не следует играть любовь. Если хотите, вы слишком красивы, чтобы играть любовь. И еще: перестаньте любить великолепный тембр вашего голоса. Вам следует его ненавидеть! Разве часто в жизни вы встречали людей с такими голосами? Нет! Люди в жизни говорят обычно. Вообще, старайтесь все делать попроще. Святая простота... «Отелло не ревнив»,— заявляет Пушкин и вместо стр-р-растной ревности выбирает для благородного мавра самое простое, обыденное определение: «Отелло доверчив». Воспитывайте в себе вкус к простоте, к жизненности. Я заклинаю вас, пренебрегите своими сокровищами!

И режиссер К. улыбнулся. Преподававший в театральном училище режиссер К. был знаменитым театральным режиссером. Но студент Мещеряков тогда ему не поверил.

Наступили летние каникулы.

Во время каникул все тот же Осьмеркин снялся в кинокартине. Успех получился огромный. На каждом углу повесили плакаты фильма, и Мещеряков повсюду теперь натыкался на знакомый утиный носик студента Осьмеркина. У входа в училище выстроилась стража из девиц, и вскоре уже все училище улыбалось симпатичной осьмеркинской улыбкой и говорило его голосом с приятной хрипотцой...

А потом на киностудию позвали Мещерякова. Молодая толстуха в белом пушистом свитере (груди в свитере, как зайцы) повела его бесконечным коридором. По стенам блестели стеклами кадры из великих кинофильмов. Проходившие отражались в них: кто пониже — макушкой, кто повыше — и голова попадет... Мещерякову повезло: он отразился всем лицом, даже шея была видна. Подумал: хорошее предзнаменование. А толстуха все вела (они спускались в подземелье, поднимались куда-то к солнцу), и привел наконец его сей белокрылый грудастый поводырь в узкую комнатенку. В ней и сидел кинорежиссер Пилар.

Кинорежиссер Пилар — молодой, в черной рубашке, в черной кожаной куртке, в черных очках и в черных волосах, был похож на ученого грача, который вытягивает клювом судьбу на базарах. Он поздоровался с Мещеряковым, помолчал, обратив на него темные глазницы, потом встал, кивком попрощался и вышел в коридор. Толстуха тотчас устремилась за ним, и тогда Мещеряков услышал за дверью:

— Вы часто наблюдали в жизни такое лицо? Может быть, оно у вас? Может быть, у Сидор Сидорыча Сидорова, который должен, поглядев наш с вами фильм, задуматься над своею жизнью? Может быть, у него будет такое лицо?

Толстуха что-то бормотала, но Пилар жест ко перекрыл ее:

— Нужен человек с нормальным, современным лицом! Я бы сказал — с тривиальным лицом. Ну, типа Осьмеркина, что ли! Мещеряков вернулся в общежитие. Пошел в уборную и долго гляделся в зеркало над рукомойником. Он почти ненавидел свое лицо.

И началось преображение Мещерякова. Был он бережлив, почти скуп, и вдруг стал щедр, вечно сидел без денег, ходил по ночам грузить капусту на «Москву-Сортировочную» и подрабатывал в массовках на киностудии. Был он нелюдим, а тут купил гитару, пел песни своим красивым голосом, и ни одно веселье теперь не обходилось без него. Короче, он стал считаться компанейским парнем. И как положено такому парню, Мещеряков теперь все время влюблялся — скоротечно и охотно. Свои влюбленности он обязательно украшал разнообразными затейливыми поступками, как украшают резными наличниками в виде петушков или голубков деревенские избы.

Актриса С:

— Я была влюблена в Мещерякова. Знаете, я просто глупая, искренняя русская баба: когда влю-

бляюсь, буквально теряю лицо... Я так себе и говорю: «Стелла, ты опять потеряла лицо!» Мы тогда справляли не то майские, не то День Победы. Ну, теплая компания, напито, наето — дело к двенадцати... Он на меня — никакого внимания! Абсолютно! Представляете: красивая девка, высокая, белокурая... Я еще все время рядом с толстой Гуслиной держалась, чтобы она мне фонила, и все равно — ноль внимания, фунт презрения. Ну, думаю, ладно! Сижу, жду... И тут он встает и предлагает: «А не закатиться ли нам к морю, мальчики-девочки?» Ну, я со всей своей обычной искренностью спрашиваю: «А где же море-то здесь?» А он, оказывается, в переносном смысле, имея в виду Москву-реку. Говорит, сердце у меня ликует, нет с ним никакого сладу, хочу к морю! Он часто как-то не по-русски выражался. Ну, думаю, ладно, и говорю: «Закатимся!» Выходим слякоть, я в туфельках, впереди лужа. Тогда он сбрасывает с себя пальто, бросает в лужу и говорит: «Ты за туфли не бойся и ступай по моему пальто павой». Так мне это тогда понравилось! Ну, дальше припилили мы к Москве-реке, на станцию Левобережная. Стоим, вокруг трава мокрая, Москва-река...

Глядим — и больше ничего! Вот, честное слово, не верите? Представляете: красивая девка, высокая, одета, волосы вьются, кровь с молоком — и опять ничего! И так всю жизнь... Да, на нем еще свитер был очень красивый. Я теперь сама вяжу и разбираюсь в этом деле. Наверное, мать связала или кто-то из нас, дурищ,— он многим нравился, красив был до неприличия! Героев Мещеряков больше не играл, и темперамент свой бешеный не показывал, боялся. Стал он играть теперь роли комические — простаков разных, водевильных стариков и деревенских добро-нелепых парней. И говорил он теперь заурядно, глухо и даже с осьмеркинской хрипотцой (ну, как все в училище).

Актер П.:

— Мы с ним дружили. Я человек тихий, да и сейчас... в ТЮЗе вон уж сколько лет, а все зайцев играю и грибов... Но мы с ним сошлись, однако. Он считался в училище... способным, особенно на роли простаков... Малый он был веселый, очень веселый. Но иногда на него находило: придет молчком, тумбочку откроет, у него там древняя пластинка хранилась — «Мадам, уже падают листья» Вертинского.

Так вот, вынет он ее, на проигрыватель поставит, а сам на кровать уляжется лицом к стене и подпевает каким-то мрачным голосом. Окончится пластинка — он снова ее ставит и снова подпевает, и так часами. Лучше его было не трогать в это время. И не дай Бог, если выпьет он под такое настроение прославленной нашей всероссийской. Тогда все — продолжал без предела. И совсем другой человек становился... Договорился он как-то с девушкой куда-то идти... ну а с утра на него наехало. А девушка... она его очень любила... как раз и приходит за ним. Ну, принарядилась, как могла... А он привстал на кровати, поглядел на нее с гадкой усмешкой и спрашивает: «Ты хоть в зеркало смотрелась?» Она смолчала, а ему и этого показалось мало. «Ты,— говорит,— на пуховую подушку похожа в этом платье. Такая здоровенная подушка, и две ножки из нее торчат — жа-а-алконькие!» Ну, она в слезы и убежала. А я его ударил, честно говоря. А он сказал: «Сейчас от тебя одни уши останутся!» И избил меня. Ну, избить меня нетрудно... Но обычно до драк не доходило. Он в это время просто исчезал из училища. А возвращался денька через три — исхудавший, запаршивевший, но обязательно с бюллетенем, «бюлютнем», как он называл: очень боялся, что исключат. А однажды вернулся, сидит, молчит, а потом вдруг: «Мне, Петя, землю нужно пахать, семью завести, собачку Жучку...» И замолчал... Но все это редко с ним бывало, да и знали об этом не многие. А потом я уехал по распределению в свой ТЮЗ. Писал ему. Но он не отвечал. Отвыкал он от людей очень легко... А потом как-то вдруг письмо от него пришло — непонятное, видно, под пьяную лавочку сочинял. Я его потерял, когда переезжали на новую квартиру...

На дипломе Мещеряков прелестно и смешно сыграл Курочкина из «Свадьбы с приданым». А когда из-за болезни Осьмеркина попросили его подыграть на репетиции красавца Армана в отрывке из «Дамы с камелиями», Гоша с готовностью напялил на себя осьмеркинский фрак, жалко застывший на его фигуре, и вышел на сцену.

Взором, полным страдания, окинул он изнемогавшую от любви и кашля чахоточную Даму и произнес сердечно, со всей душою, первую фразу роли:

— Ну что, все кашляешь, да?

В зале улеглись от смеха, а режиссер К. перекрыл всех своим тонким, стонущим женским хохотом. После «Дамы с камелиями» Мещеряков был приглашен проводить режиссера К. до дома — знак особой милости. Они шли бульварами. Лето, вечерний свет... В окнах зажигали огни, и видны были лепные потолки в особняках. Режиссер К. думал тогда о постановке «Горе от ума».

— Очень смешно вы сыграли, друг мой, с большим юмором и со своей точкой зрения,— начал режиссер К.— Вместо романтичного красавца получился простодушный, сентиментальный Арман. Арман плюс Вася Курочкин. В результате — смешно и трогательно. Вот что значит неожиданная точка зрения. Кстати, о точке зрения... Кажется, у Всеволода Иванова есть рассказ: петуху отрубили голову, и он бежит по Арбату — и Арбат с точки зрения этого безголового петуха... Сочащаяся кровью разрубленная шея, бег, беспорядочно бьющиеся крылья — великолепно и неожиданно, не так ли? Мещеряков согласился.

Тут режиссер К. остановился и зашептал Мещерякову в самое ухо:

— Не было! Не было у вас никакой точки зрения! Вы ведь вначале все всерьез играли! Без всякого юмора! Со всей душой!

И режиссер К. залился женским смехом. А потом продолжал:

— Какой вы несчастный сейчас! Бедный — вы всю душу вложили, а получилось до того нелепо, что очень смешно... Ну и радуйтесь! Ведь получилось новое прочтение. А в искусстве важен результат! Все остальное — биография! И поэтому... Режиссер К. задумался. Когда он беседовал, он говорил без всякой видимой связи, следуя странному, одному ему понятному течению мысли, потому что говорил режиссер К.— для себя. Потом он опять заговорил:

— Я сейчас вспомнил историю про великого режиссера М. Я вам расскажу ее, вам пригодится. Случилось это в конце тридцатых годов, после того как он впал в немилость и лишился театра. За него вступился тогда Станиславский... Короче, после всех неприятностей и передряг отбыл наш М. в санаторий вместе с женой, красавицей и актрисой... точнее, красавицей, а потом уже актрисой.

В том же санатории отдыхал актер Л., грандиозный, кстати, актер. Он тогда болел и возлежал на балконе. М. и красавица жена были разбиты, подавлены и оттого расхаживали по санаторию в самом небрежном затрапезе. И тогда актер Л., чтобы отвлечь их от мрачных дум, предложил: «А почему бы, любезный М., красавице Зиночке не потрясти нас всех своими парижскими туалетами, о которых мы столь наслышаны?»

М. идея неожиданно понравилась. И вот на следующий день сам М. надевает бесподобный черный костюм и выходит на прогулку, статный и фрачный, а рядом с ним шествует красавица жена в кроваво-красном парижском туалете и в огромной шляпе с маками — все сумасшедшей красоты. Но актер Л.

в то утро как раз получил телеграмму из Москвы о смерти Константина Сергеевича. И прорыдал все утро, как ребенок: умер учитель! И тут Л. со своего балкона видит, как по аллеям идет бесподобная пара. Л. кричит им сверху. Но они не понимают его, и веселятся, и танцуют в аллеях (М. двигался, как бог), и целый час длится это представление: тут и страстное танго, и болеро, и старинный менуэт... Наконец они поднимаются к Л. и все узнают. И тогда жена М. начинает кричать. Она кричит в голос, она буквально рвет на себе свое красивое платье и царапает ногтями грудь, она оплакивает Станиславского... И еще: она понимает, что умер самый сильный их покровитель — и теперь они беззащитны.

А режиссер М.? Как вы думаете, что сделал режиссер М.? Он начал хохотать! Страшно хохотать! Ужасно хохотать! Не потому, что М. не любил Станиславского. О нет! Он любил его и поклонялся ему. Но он был прежде всего режиссер, и оттого он тотчас представил всю трагикомедию сцены — от танцев в аллее до рыданий жены. Режиссер М. хохотал потому, что он был мастер, а первая мысль мастера должна быть о своем искусстве... А вы знаете, что я сейчас подумал,— сказал К. опять без всякой связи с предыдущим,— а не сыграть ли вам Молчалина? Молчалин — с вашей внешностью, с яростным темпераментом, который у вас все время в глазах... Молчалин — Жюльен Сорель. Только Жюльену Сорелю надо было все время выказывать ум и знания, а Молчалину наоборот — скрывать их и доказывать глупость и простодушие, чтобы владыки мира признали его своим. И он вновь зазвенел своим женским смехом.

Так повезло Мещерякову: при распределении он попал в театр режиссера К. и сразу на большую роль.

Через несколько месяцев состоялась генеральная репетиция «Горя от ума».

В темном зале находился единственный зритель — критик Д., тогдашний глава почитателей режиссера К. Спектакль критику Д. сразу понравился — и оттого всю вторую половину спектакля он глядел на сцену невнимательно, так как обдумывал, что сказать ему по поводу спектакля. Когда занавес окончательно опустился, формулировки у Д. были готовы. Он назвал спектакль «попросту гениальным». Затем последовали отзывы об актерах. Про Мещерякова, например, он высказался так: «Много обольщения, но мало обобщения». (Фраза была хороша, так как, с одной стороны, была бессмысленна, а с другой — содержала тьму разных смыслов.) Режиссер К., румяный от похвал, при упоминании о Мсщерякове только вздохнул.

— По-моему... это наверняка слишком смело с моей стороны... но он — не ваш актер,— продолжал критик Д. (Об этом он уже слышал не раз от самого режиссера К.)

К. еще раз вздохнул, поразившись проницательности критика Д. «Горе от ума» прошло тогда с огромным успехом. Режиссер К., счастливый и щедрый после бесконечных вызовов, поблагодарил всех актеров и превознес их. На следующее утро Мещеряков появился в театре с букетом махровых гвоздик.

Секретарша режиссера К.:

— Я сама некрасивая, у меня только фигура ничего и ноги — оттого, наверное, я красивых людей так люблю. Зовут меня Лариса Дмитриевна, как героиню «Бесприданницы», и вообще у меня с ней много сходства... Мещеряков был очень симпатичный, просто красавец: высокий, ресницы длинные... Вообще ресницы — это моя слабость. Я ему как-то говорю: «Ну, зачем вам такие ресницы, вы ведь мужчина, отдайте их мне»... Это было сразу после «Горя»: у моего (то есть у режиссера К.) сидела делегация перуанцев, когда появился Мещеряков с гвоздиками — кстати, это мои любимые цветы. Он сказал: «Я к режиссеру К.» — и хотел пройти. Ну, я его за рукав, объясняю: там делегация перуанцев, а он меня вдруг обнимает и молча усаживает в кресло, и я, как дура, почему-то сажусь, а он к моему проходит... Я опомнилась — поздно: дверь приоткрыта, события разворачиваются. Гоша кладет цветы на стол, низко-низко кланяется моему и говорит: «Это за вашу муку со мною и за вашу науку». А потом объявляет, что он подготовил роль Отелло и хочет тут же читать. Мой отнекивается, но перуанцы начинают хлопать в ладоши, и Гоша без передышки — давай читать! Смотрю, мой голову опустил, плечи вздрагивают... А Гоша читал, читал — и вдруг остановился, помолчал и пошел к дверям. А вечером он пришел на репетицию и как ни в чем не бывало, смешно-смешно, в лицах все изобразил — как он монолог Отелло читал, а мой от неловкости чуть не жрал со стола гвоздики, а перуанцы делегацией хохотали. Я его потом перед репетицией в коридоре встретила. Он засмеялся и говорит: «Я вас сегодня ведь с праздником забыл поздравить,

Лариса Дмитриевна». Я говорю: «С каким?» «Ну как же,— отвечает,— сегодня по народному календарю — Акулина-Задери хвосты, в этот день скот от жары бесится...»

И расхохотался. И тут я поняла, что Гоша нас всех разыграл. Это была просто шутка! Я люблю веселых... Я сама долго жила в коммуналовке — комната моя была рядом с кухней — столько ссор через дверь наслушаешься, поэтому, наверное, я люблю так веселье и людей веселых...

На «Горе от ума» появилось много восторженных рецензий. С легкой руки критика Д. ругали только Мещерякова. Все отмечали, что Мещеряков не подходит к роли, и, что было особенно неприятно режиссеру К., вспоминали при этом знаменитую трактовку Молчалина в постановке Товстоногова в БДТ. Режиссер К. тяжело переносил подобные неудачи и, сам не желая того, тотчас охладевал к актерам, с которыми их претерпевал. Это охлаждение выражалось в том, что режиссер К. попросту забывал об актере (его воображение все время строило декорации новых и новых спектаклей, и те, кто в них не участвовал, становились ему безразличны). И он забыл о Мещерякове. Вспомнил он о нем лишь однажды: когда принесли на утверждение Гошину фотографию, которую должны были повесить в фойе среди портретов остальных актеров театра. «Улыбка... кудри... красавец! — сказал насмешливо К.— Повесьте его куда подальше, чтобы школьницы не заметили. А то ведь сразу сопрут какие-нибудь юные грешницы из 8-го «Б» класса». И фотографию Мещерякова повесили в самом дальнем конц фойе — над входом в буфет. И потянулись годы.

Мещерякова занимали теперь только в самых маленьких ролях, но он посещал все репетиции режиссера К. В спектаклях он участвовал теперь совсем мало, и свободного времени оказалось у него предостаточно. А так как малый он был общительный и марка театра ценилась очень высоко, то стали его с удовольствием приглашать на радио. В радиопередачах «За сказкой сказка» он сыграл всех тварей, какие есть и каких нет на белом свете: жучков, паучков, дельфина, Змея-Горыныча, зебру и доброго волшебника Космонавтича.

В передаче «Опять двадцать пять» он выступал в роли говорящего будильника, а в передаче «Ровесники»... Короче, зарабатывал он хорошо. Обедал он теперь в ресторане Театрального общества — обедал долго и всегда с компанией. Он чуть раздался, черты лица у него поплыли, и оттого к красоте добавилась солидность, уютность, что ли...

Во время работы на радио, во время долгих своих обедов и ужинов перезнакомился Гоша со всей Москвой. И постепенно стал он для всех попросту «Гоша», добрый, щедрый Гоша, весельчак, умеющий иногда так смешно разыграть ближнего. Слава о розыгрышах весельчака Гоши шла немалая. Взять хотя бы историю с Осьмеркиным. Замечательная история!

Осьмеркин получил тогда звание лауреата на смотре-конкурсе молодых актеров. Режиссер К. отдыхал в это время на Рижском взморье, и Осьмеркин, конечно, несказанно обрадовался, получив однажды от К. телеграмму в таком роде: «Поздравляю тчк так держать тчк дарю тебе собственную кровать красного дерева тчк пусть тебе на ней так же сладко спится и хорошо думается зпт как мне тчк режиссер К тчк.».

Речь шла о полуразвалившейся древней кровати, которую Осьмеркин видел, часто посещая дом режиссера К. Зная некоторые странности любимого режиссера (в частности, его фантастическую скупость), Осьмеркин не удивился и не улыбнулся. Он был малый ироничный и охотно позволял себе смеяться над всеми, исключая режиссера К. Потому что он был умный малый. Короче, бедняга вызвал грузовое такси и с помощью хорошо знавшей его домработницы режиссера К. доставил необъятную кровать в свою малогабаритную квартиру. Ложе заняло решительно всю жилплощадь, но Осьмеркин терпел. Вернувшись, режиссер К. не обнаружил своей кровати и пришел в необычайную ярость. Он был человеком наивным в частной жизни и тотчас подумал, что Осьмеркин воспользовался своей кинопопулярностью, чтобы похитить у него родовую кровать. А спать на другой кровати К. не решался — он был суеверен. И той же ночью вместе с двумя оперативниками он ворвался в квартиру к почивавшему Осьмеркину... Когда все разъяснилось, К., сверкая гневом, вызвал к себе Гошу. Выслушав громы, Гоша смиренно объяснил, что он отважился сделать это только потому, что всегда помнил поучительный рассказ про чувство юмора у великого М. и рассчитывал, что режиссер К. тоже непременно станет смеяться. К. вяло улыбнулся и попросил Гошу впредь оставить его в покое.

Время шло. Женщины по-прежнему влюблялись в Мещерякова. Всех их, независимо от возраста, Гоша называл теперь — «девочка моя». Но пальто в лужу более не бросал, а для романтических поездок к морю у него попросту не было времени. Если же замечал он теперь привлекательное женское личико, то вяло делал страстные глаза и говорил своим прежним, «красивым» голосом:

— Я вас любил когда-то!

Этим теперь ограничивались его любовная лирика и юмор. Он будто заснул.

Мать Мещерякова:

— Очень я была счастлива, знаете ли. Без отца он рос. Но образование я ему дала. Я сама тоже красивая была, мне еще недавно подружки говорили: «Вставь зубы, Полина, и замуж иди»... Глупости, конечно... Очень я хотела, чтобы Гоша артистом стал. Мы ведь из глухой деревни, мама думала, что в кино не живые люди играют, а рисунки показывают... Сначала я на лесоповале работала — в Эвенкии. Время было тогда суровое, необразованное — у нас в сельсовете даже плакаты висели: «Эвенк, учись пользоваться мылом», а то ели люди мыло... Ну потом в Ивановскую область переехала, на ковровый. Дали нам комнату, потом Гоша артистом стал, по радио часто выступал. Я приемник купила, и как свободная минута — к приемничку бегом, включаю. Но вот беда — голос его не узнавала часто. Прослушаю передачу, и вдруг в конце объявляют: роль такую-то исполнял мой Георгий Андреевич. А я уж к тому времени и содержание-то позабыла. Потом ходишь день целый — мучаешься, содержание вспоминаешь... Да, хорошее было время. Только вот беда — не женился он долго. Я его все в письмах просила: «Женись, Георгий Андреевич, роди внучка».

И сам Гоша тоже начал подумывать о женитьбе. Однажды он отдыхал в Подмосковье в доме отдыха и познакомился там с миленькой девушкой. Была она черноокая, кругленькая — этакий медвежонок. Когда Гоша узнал, что девушка заканчивает медицинский институт (он с детства очень уважал врачей), ее участь была решена.

Гоша на ней женился. В тот год ему стукнуло тридцать два. Женившись, он, к изумлению всех, сразу покончил с влюбленностями, был верен жене Дунянчику (так именовалась им жена Дуня). Он был заботлив и очень нежен. Это продолжалось год.

Через год Гоша сорвался. Он ушел из дома и вернулся на третий день. Потом повторилось. Он напивался и сразу переполнялся бешенством. Наткнется на взгляд Дунянчика — и вдруг заорет совсем дико:

— Что-то много ходит вокруг Погорельцевых! — в эти минуты он почему-то называл ее только по фамилии.— Они троятся... они свет мне застилают своими толстыми ляжками... Гонят они меня из квартиры в мать-перемать сыру землю... Дунянчик сразу уходила в другую комнату, а он начинал петь какую-то песню про эту самую мать сыру землю и еще про некий гром гремучий:

Ты ударь, гром гремучий, огнем-полымем,
Расшиби ты мать сыру землю...

Самое смешное, в нормальном состоянии он никак не мог ее вспомнить. Он просил Дунянчика даже записать слова, но ей, когда он пел, бывало как-то не до этого.

Спев песню, Георгий Андреевич обычно отбывал из дома, на прощанье яростно хлопнув дверью. А потом наступало раскаяние, и нежность, и щемящая жалость к жене.

Все это обычно настигало Гошу около полуночи.

— Где-то Дунянчик мой сейчас? — говорил он друзьям-собутыльникам светлым голосом.— Где-то она сейчас, калинушка-малинушка, лазоревый цвет, репка румяная...

И все понимали, что Гоша отбывает домой.

— Ну, беседа, баста! — объявлял он.— И не удерживайте меня. Никто его не удерживал. И он уходил. Но нежность его все увеличивалась, и Гоша некоторое время странствовал по ночному городу в поисках цветов для Дунянчика. И самое дивительное, он эти цветы находил. Когда раздавался звонок в третьем часу ночи, Дунянчик уже все знала.

— Кто там? — спрашивала она для порядка.

— Дунянчик, открой, это я — московский хулиган.

Она не открывала, но от двери не отходила. Тогда звонок звенел снова, и за дверью печально вздыхали. Потом вздохи становились все горестнее, но звонок больше не звонил. И тогда-то Дунянчик открывала. Гоша становился на колени и с цветами в руках вползал в квартиру.

— Прости меня, Дунянчик, честна девица, дщерь отецкая...

— Я ненавижу тебя! Ты сейчас мне просто противен! — говорила Дунянчик.— Уходи! Уходи!

— А куда же мне деваться без тебя? Пропадать? — вопрошал Гоша, не вставая с колен. Это, конечно, было свыше ее сил. Она молча гладила его по волосам, а он вручал ей цветы. Затем он поднимался с колен, и начинался ритуал примирения.

— Это кто у меня такой маленький? — интересовался он в четвертом часу ночи, могуче выбрасывая вперед грудь. Она должна была отвечать ему беспомощным и воркующим голосом:

— Это я.

Тогда он обнимал ее за плечи, прижимал к себе, и голова Дунянчика оказывалась у его груди.

— Это кто у меня такой беспомощный?

— Это я,— говорила она и глядела на него обожающим взглядом.

— Это кто у меня такой нежненький?

После целой вереницы подобных его недоумений и лаконичных разъяснений Дунянчика начинались нежности, и шла заключительная часть покаяния.

— Понимаешь, крик внутри сидит! Крик! Понимаешь?

— Конечно, понимаю, родненький, спи.

Она умирала — так ей хотелось спать.

— И сила... сила страшная! Понимаешь?

— Я все понимаю, спи, спи.

— Устать никак не могу... то есть так-то устаю легко... а вот по-хорошему, от дела — не могу! Понимаешь?

— Спи, миленький.

— Смешно сказать, я сейчас вспомнил, как хорошо уставал в юности... когда орал в Доме культуры про Мцыри... Выходило из меня все это вместе с криком... А сейчас во мне все это... Понимаешь?

— Бог даст, уйдет это из тебя, обязательно... Спи.

— Что я играю? Разве с этого уйдет?!

— А ты на кварц ходи. Я тебя на кварц записала, а ты не ходишь...

— Как время-то идет... Мне уже знаешь сколько...

— И ванны тебе надо делать. При тридцать седьмой больнице теперь профилакторий открыли...

— Люблю тебя. Сама маленька... лицом беленька... брови собольи и очи сокольи... А дальше... как дальше? Забыл...

— Спи, спи, спи...

Просыпался он поздно и один — Дунянчик была уже на работе.

В театр ему спешить было не надо, в репетициях он не был занят. На столе его ждал завтрак, на стуле висело чистое белье. «Сволочь! — говорил он

себе.— Стариком скоро станешь, а все никак не упрыгаешься».

И все-таки Дунянчик была счастлива: она знала, что когда он пьет, то страдает из-за нее. А это означало, что он ее любит. Только одно ее мучило: никак не могла она ему родить... И еще огорчало, что он терпеть не мог, когда приходили к ней подруги с работы. А она была особа общительная и не могла без подруг. Гоша действительно терпеть их не мог. Они приходили, долго пили чай и, поглядывая на Гошу, готовились к расспросам.

В конце вечера начиналось:

— Скажите, Гоша, а правда — вы с А. (известный киноартист) в одной радиопередаче выступали?

— А правда, вы с Б. (другой киноартист) знакомы? А в жизни он такой же красивый?

Он мог рассказать этим раскудахтавшимся дурам, что их любимый А.— редкостный тупица, а что касается Б., то считать его красивым можно только с большого перепоя. Но он, конечно, отвечал, что А.— прелестный и думающий артист и что он недавно удачно женился (в пятнадцатый раз) по любви, что Б. тоже не отстает от А.— он редкостный красавец, труженик и семьянин. В заключение вечера они с трепетом спрашивали подробности об Осьмеркине, с которым, как они слышали (все это, конечно, они слышали от Дунянчика!), ему выпало счастье вместе учиться.

«Надо же,— думал он,— а еще врачи... Оттого и мрут люди».

И он рассказывал об осьмеркинских прелестях. А время все шло. В тридцать четыре года он начал

седеть. Как-то очень быстро это случилось: за один год Гоша стал наполовину седым. Эта седина ему пошла — и все шутили, что он нарочно стал седым.

В это же время появились у него и новые увлечения. Во-первых, Гоша превратился в заправского остряка, и еще — он вдруг начал рисовать. Острил он теперь постоянно и ни словечка не говорил в простоте.

— Как настроение? — спрашивали его.

И он обязательно отвечал что-нибудь вроде:

— Отличное, как у ореха меж дверьми.

Его начали даже немного побаиваться, потому что теперь он все чаще острил по поводу других. Например, про известного, весьма немолодого актера, который гордился своим обликом и неувядаемым овалом моложавого лица, Гоша как-то заметил, что это уже не овал, а обвал лица...

А рисовал Гоша в основном портреты и никому, кроме Дунянчика, не показывал. Это были неприятные рисунки: люди на них были изображены в виде животных. Например, критика Д. Гоша изобразил в виде сонной рыбы с большими глазами-очками, а одну актрису нарисовал в виде тонкой долгой змейки с изящной маленькой головкой и сигаретой, похожей на высунутое жало. Рисовал он и автопортреты. Но их он не показывал никому. А потом сжег...

Прошло еще время.

Характер у Гоши вдруг совсем испортился, он начал часто ссориться с людьми. А Дунянчику однажды сказал:

— Ты утром со мной не заговаривай. Утром я — не человек... Потому что за ночь мне разные мысли

в голову приходят... Ты утром быстрее уходи, а завтрак я себе сам буду готовить, — потом увидел ее глаза и добавил, отвернувшись: — Это... пройдет. Вот сменю профессию, и все образуется.

Но профессию он не сменил.

Ему стукнуло тридцать восемь, когда произошла катастрофа. В тот день он записался на радио в передаче «Опять двадцать пять», и когда он перешел «звучать» в передачу «Ваш друг — спорт», режиссер Ю. сделал ему замечание:

— Гошенька, посерьезнее, мальчик. Вы принесли к нам шутливую интонацию из «Опять двадцать пять»... А мне от вас нужно...

— А мне наплевать, что вам нужно,— вдруг перебил его Мещеряков.

Наступило молчание.

— Что с вами, Гоша? — начал режиссер.

— Какой я вам, к черту, Гоша, какой я вам мальчик? — заревел Мещеряков и, взглянув белыми от ярости глазами, молча вышел из студии. Он прошел по коридору и в ответ на приветствие редактора передачи «Поет Уральский хор» коротко ответил:

— Ненавижу.

И вышел на улицу.

Вскоре он стоял у дверей квартиры Осьмеркина. Осьмеркин открыл ему сам. Он был в цветастом кимоно, которое ему подарили на кинофестивале в Японии. Друзьями они никогда не числились, да и не виделись давно, но Гоша заговорил так, будто они расстались вчера.

— Хороший ты парень, Осьмеркин, и георгины у тебя на заднице цветут красивые... Я про тебя столько добрых слов наговорил за это время, что с тебя причитается. Представляешь, как придут к жене подруги — все о тебе пою. Гусляр, да и только... В общем, не хочется мне идти сейчас домой, Осьмеркин, дай мне десятку до завтра. Я отдам.

— Может, старик, зайдешь в квартиру хотя бы?

— Не-а,— сказал Мещеряков.— Я лучше на лестнице постою, на скоростях. А то зайду к тебе — и настроение у меня совсем табак станет.

— Это почему же?

— Это потому, что ты страшно важный парень, Осьмеркин.

Я когда на тебя долго смотрю, всегда начинаю вспоминать: что же я такое важное забыл сделать в жизни? И мучаюсь. Потому что все равно не вспомню. А вспомню — все равно не сделаю. Не сумею. Осьмеркин понял, что Гоша расположился на лестнице надолго. Он вынес ему десятку и попрощался. В половине одиннадцатого Гошу сбил грузовик в районе Таганской площади. Гоша был очень пьян, и шофер клялся, что он бросился под грузовик сам. (Потом в протоколе Гоша подтвердил слова шофера, но Дунянчику сказал, что шофер врал, а подтвердил он нарочно, чтобы шофер «не загремел», как он выразился.)

Очнулся Гоша в больнице. Раздробленную ногу оперировали, а на лицо и на голову наложили швы. Молодого доктора, который «сшивал» Гошу, звали Теодор Ильич, или просто Тэд (так называла его дежурная сестра, у которой был с ним роман).

Потом к Гоше впустили Дунянчика. Она уселась у его постели и, стараясь не смотреть на подвешенную ногу, улыбалась, болтала какой-то вздор. А Гоша подмигнул ей и сказал:

— Доктор Тэд отнял у меня часть ступни, — он чуть приподнял здоровую ногу и добавил: — И остался я со здоровою ногой «тэд-а-тэд».

И засмеялся. Ну тут-то она, конечно, разрыдалась всласть и выбежала из палаты. Потом долго успокаивалась, наконец подсобралась, вернулась в палату с идиотской улыбкой, но взглянула на Гошу и опять...

Гоша вышел из больницы неузнаваемым: он исхудал, оброс бородой, а голова у него стала совсем белая. По щеке от глаза до рта шел глубокий шрам. Гоша хромал и передвигался с палкой. Он попросил в больнице не объявлять Дунянчику срок его выписки, хотел сделать ей сюрприз — прийти сам. День был солнечный, но не жаркий, с ветерком. Гоша медленно брел к дому тихими переулками, опираясь на палку. С непривычки он скоро устал, зашел в сад «Эрмитаж» и уселся у ограды, подставив голову ветерочку. «Как хорошо! Надо же, какое счастье — самому ходить! Как все просто, оказывается...» Он сидел в сквере, искалеченный, отдыхал и впервые за последнее время был счастлив. Ничего, кроме ощущения блаженства и покоя, и никаких мыслей. И тут Гоша увидел знакомую фигуру. По центральной аллее от ресторана стремительно шел кинорежиссер Пилар. Он совсем не изменился за это время: такой же мальчикообразный, в черных очках, в черных блестящих волосах, только под черной кожаной курткой была надета белая водолазка — вот, пожалуй, и все. Гоша поздоровался.

— Здрассы,— прошелестел Пилар и унесся к выходу.

«Спешит, все спешит»,— сказал себе Гоша.

Но у самого выхода Пилар обернулся и медленно пошел обратно. На его лице было мучительное раздумье — он вспоминал... Потом физиономия засветилась облегчением — вспомнил.

— Изменился? — усмехнулся Гоша.

— Да,— ответил Пилар,— но у меня прекрасная память на лица... Он остановился у скамейки и, не стесняясь, во все глаза разглядывал Мещерякова.

Кинорежиссер Пилар:

— Я сразу понял: это был выигрыш — сто тысяч по трамвайному билету. Это было — лицо! Резкий шрам придавал мужественность... еще что?.. загадочность... что еще?.. пикантную грубость. Герой вестерна... Борода — это банально, я сразу понял, что мы ее сбреем. Худоба была чудесная... Резкие морщины, огромные глаза — все нужно было оставить, это в стиле Эль Греко... Великолепные седые кудри! Нос — скульптура... рот мужской, сильный, чувственный... Но главное — глаза... да, попереживал он всласть... и добрые при этом... И никакой сытости, никакого актерства, пошлости! Тут я понял, что ему очень хочется двинуть мне по роже палкой. И я поспешно спросил: «Как вас разыскать?» Вскоре Гоша репетировал на телевидении Егора Булычева в постановке Пилара. Когда «Булычева» показали, о Гоше заговорили все.

Критик Д. (по телефону):

— Я очень рад, что вы позвонили. Я сейчас заканчиваю книгу о нем. И как-то во всем разобрался, «подытожил», как любил говорить покойный критик Е. Понимаете, что тогда получилось: Гоша действительно блестяще сыграл Булычева. Но, кроме того, и внешний облик его представлял, если хотите, некоторый фокус. Его лицо, фигура, движения — от всего исходила сила, бешеный темперамент и почти животная жажда жизни... а в его глазах, каких-то блестящих, плачущих, что ли, было... нет, не страдание, не боль... а что-то... Это будоражило, создавало загадку. Кроме того, Мещерякову исполнилось тогда сорок, он ничего не добился в жизни, он был почти калекой. Короче, возник тот редкий случай в искусстве, когда у сорокалетнего, очень талантливого актера совершенно не оказалось завистников — все искренне радовались за него и восторгались его успехами. Правда, я помню, что, как правило, эти восторги завершались фразой: «Я особенно рад (рада) за него — ведь ему так сейчас плохо». В этом звучал некий снисходительный подтекст: «Если бы не несчастье, я, может быть, и был (была) куда более строг (строга)» — и намек на то, как хорош говорящий... Но это было все на первом этапе... А через год Гоша сыграл в «Скучной истории» в постановке того же Пилара, и все мы поняли: новое чудо — явилось! Фильм завоевал премию в Лондоне, и Гоша был избран английскими критиками актером года. Начался второй этап. Он «ознаменовался», как любит писать критик С., моей статьей о нем... Она неплохо называлась: «Страдание? Нет, сострадание!» По существу, многим эта статья попросту открыла Мещерякова. Да и сам он так считал. Он любил эту статью.

Помнится, в то время, встретив критика Б., я назвал Гошу «самым обычным великим актером». Я не боюсь сказать, что, к сожалению, не заметил этого вначале... Ну что ж, мне это урок, милостивый государь. Как там у Федора Михайловича Достоевского — «Не презирай мовешек». Вообще тема ожидания чуда в искусстве, как я ее раскрыл в своей книге, мне кажется очень современной.

Критик Д. был прав. Действительно, после «Скучной истории» — началось! Эпидемия!

Режиссер В., надумавший в то время ставить на телевидении «Отелло» («Я мечтал об этом двадцать лет!»), встретил на улице критика Е.

— А хотите, я вам скажу, кто может у вас сыграть Отелло? — сказал ему критик Е.

— Знаю,— вздохнул режиссер В.— Я знаю об этом уже десять лет. (Он любил долголетие.)

— Вы слышали, режиссер Пилар будет ставить «Идиота» на телевидении. Как вы думаете, кто будет играть у него Рогожина? — спросила критик З-а режиссершу В-у, встретившись с ней в «Пассаже».

— Он,— тотчас ответила В-а.

Так Гоша перестал быть «Гошей» и стал именоваться «Он», как и полагается богу.

И восторженная и вечно влюбленная критик П-а подытожила на пляже в Коктебеле:

— Он может все!

Он действительно мог тогда все. У него оказалось разное лицо. Все возрасты были доступны этому лицу и все состояния. И речь его, годами разработанная на радио, была поразительно гибкой. Но главное — во всем этом разнообразии Гоша был удивительно естествен...

Критик Д.:

— Он играл в самой современной манере, так, как научился во время долгих сидений на репетициях замечательного режиссера К.: изысканная нервность, безукоризненного вкуса сухость в сочетании с бьющими наповал двумя-тремя кусками роли, в которых проглядывал его бешеный темперамент, старательно сокрытый во все остальное время. Но когда кинорежиссер Пилар предложил Мещерякову сыграть Рогожина, он решил отважиться сыграть его несколько иначе, как умел только он. Об этом рассказывал мне сам Виктор Пилар. Ну что ж, Мещеряков уже мог позволить себе играть так, как хотел. Он был богом, и вокруг него, как вокруг всякого бога, уже собралось много нас — жрецов, обязанностью которых было поддерживать веру в него... «Если Бога нет, то какой же я штабс-капитан?» — сказано у Федора Михайловича... Критик Д. опять был прав: Гоша был заранее избавлен от провала. Но все-таки он очень боялся неудачи — слишком долго ему не везло в жизни. И поэтому, кроме Рогожина, он согласился сниматься еще в двух «главнюках» и готовился их сыграть так, как от него ждали.

Работал он лихорадочно и совсем исхудал, к ужасу Дунянчика. Лицо его было теперь переплетено мелкими морщинками и напоминало вблизи печеное яблоко. Но в гриме он был красив совершенно. Теперь его красота уже никого не пугала. Из театра режиссера К. Гоша ушел. У него не было теперь времени играть маленькие роли, а ничего другого режиссер К. ему по-прежнему не предлагал. (К. не видел его последних работ. Он считал, что кино развращает актера большими деньгами и легкой славой, поэтому в кино не ходил принципиально.) В тот день Гоша пришел в театр получить трудовую книжку и проститься. Он попрощался со всеми и выслушал безнадежные просьбы директора остаться. (Директор понимал, что на прежнем положении Гоша не останется, а убедить в чем-нибудь режиссера К. мог только сам режиссер К.) Наконец Гоша покинул кабинет директора и, опираясь на палку, пошел по фойе к выходу. Из буфета навстречу ему шел сам режиссер К. Это был подарок! Мещеряков ждал этой встречи. Все последнее время — ждал. Он даже приготовил фразу для нее! Он остановился и, опираясь на палку, стал ждать. К. медленно шел по фойе, ему не хотелось встречаться с Гошей, но это было неизбежно. Мещеряков не видел К. около года и сейчас в солнечном свете вдруг заметил, как тот постарел. Они поздоровались. Режиссер К. остановился и спросил отсутствующим голосом:

— Как себя чувствуете?

— Спасибо, сейчас хорошо.

— Желаю вам всяческих успехов. Жаль, что вы от нас уходите...— произнес К. все тем же отсутствующим голосом, напряженно думая о своем. И пошел дальше по фойе.

И тогда Мещеряков сказал ему вослед:

— А вы были правы — искусство требует жертв.

Это была приготовленная фраза.

К. остановился, помолчал несколько секунд, видимо, пытаясь собраться с мыслями, которые были, как всегда, весьма далеко. И медленно повторил, будто вдумываясь:

— Искусство... требует... жертв? — и вдруг добавил жестко, как выстрелил: — Нет. Времени оно требует... долгого времени...

И прошел мимо. Режиссер К. спешил тогда в макетную. Войдя, он задернул шторы, уселся в кресло и зажег макет декораций новой постановки. И более уже не вспоминал о Мещерякове. Новая постановка режиссера К. называлась «Прикованный Прометей» Эсхила. Лето в тот год было очень жаркое, но Мещеряков не отдыхал. Он спешил отсняться в двух «главнюках», чтобы освободить время для Рогожина. Дунянчик наконец родила ему дочку (ее тоже назвали Дунянчик), и Мещеряков в мае снял для них дачу под Москвой. На субботу и воскресенье он всегда приезжал туда, но в последний месяц заехал только дважды. Мещеряков влюбился. Она работала на киностудии художницей по костюмам. Ей было двадцать три года, она была хороша, по-современному хороша, то есть тонка, длинна, с узкими бедрами и копной пепельных волос. Сначала она была польщена ухаживанием «великого» (как все серьезно-шутливо называли на студии Мещерякова). Она жила в однокомнатной кооперативной квартире в Гольянове. Ее дом был последней новостройкой, балкон выходил прямо в лес, и было очень удобно загорать прямо на этом балконе. Она ошеломила Мещерякова сменой настроений. Сначала без умолку острила о своем балконе, потом объясняла, как соскучилась по людям, которые ни на что не жалуются, и при этом хохотала, а потом вдруг впала в состояние нервной грусти — и у нее даже показались на глазах слезы. Она ушла на балкон, Мещеряков — за ней. Она снова начала объяснять ему все преимущества балкона, и он ее молча поцеловал. И удивился, как ему стало хорошо.

Весь следующий день он был счастлив и все время вспоминал, как она наклонила голову, как падали вниз ее волосы и как сказала ему утром: «Ну, прощай, малыш». Называли его по-разному, но «малышом» — никогда. На следующий день после съемки он дожидался ее у проходной. Она увидела его, взглянула почти изумленно и сказала:

— Разве я с вами условилась?

— Я просто подумал, девочка моя...

— А вам не кажется, что вы назойливы, сэр?

Самое удивительное, Мещеряков проглотил эту фразу и засмеялся.

— Я рада, что так получилось,— сказала она.— Но давайте наперед: мы будем с вами встречаться, когда я этого захочу.

— Мы можем вообще не встречаться...

— А мне как-то все равно,— ответила она, и на лице ее появилась уже знакомая нервная грусть. И началась страшная жизнь. Она была первой женщиной, которую он любил и которая совсем его не любила. Он запутывался все больше и больше.

Ему все время казалось: вот сейчас он ее завоюет, вот сейчас станет она наконец покорной, сладостно-покорной, как были все до нее, вот сейчас, сейчас...

Но проходили дни, и он не заметил, как она уже стала при всех издеваться над ним... А он терпел все за редкие встречи. Она уже прямо объясняла ему, что совсем его не любит, что он попросту стар для нее, что это был эпизод и он исчерпан. Но ему все казалось уловками. Он хотел верить, что она оскорбляет его нарочно, от обиды за то, что он живет с ней, но не уходит от жены. Он объяснял ей, что не может уйти из семьи сейчас, когда Дунянчик только что родила. А она смеялась и говорила, чтобы он и не думал уходить, так как ей это совершенно ни к чему. Но он и эти ее слова объяснял обидой.

«Последняя любовь — от черта» — кажется, так говорят...

У него выдался перерыв в съемках на неделю, но она по-прежнему не встречалась с ним: объясняла, что живет у матери, которая заболела. Тогда он сам приехал к ней ночью — и она, конечно, была дома. Он вошел в квартиру, увидел разобранную кровать, мужскую рубашку на стуле...

— Уже ушел,— сказала она и засмеялась.

Он ударил ее, она ответила. Они молча дрались, как мужчина с мужчиной. Он выволок ее на «удобный балкон, выходивший в лес» и, потеряв рассудок, в бешенстве перегнул ее через решетку. Только тогда она вскрикнула, и он отпустил ее. Она заплакала. Он сел на пол балкона. В эти мгновения он невероятно ее любил, и ему казалось, что она тоже умирает от раскаяния. Но она плюнула ему в лицо и сказала сквозь слезы, что ненавидит его, что он старик и урод, что он ей опротивел, что она проклинает тот день, когда она с ним связалась... Она выкрикнула все это хриплым от страха шепотом и рванулась с балкона в комнату. Входная дверь захлопнулась — она убежала. Мещеряков некоторое время сидел на бетонном полу — что-то сильно болело у него в руке, а потом в груди. Когда отошло, он поднялся и пошел прочь из пустой квартиры.

Он поймал такси и поехал на дачу. Там прошел в свою комнату, заперся и в первый раз после катастрофы напился. Потом, ночью, вошел к Дунянчику, дотронулся до ее лица в темноте — хотел проверить, плачет ли она... Она плакала.

Он сказал:

— Все. Клятву даю — все.

Он попытался обнять ее, но она оттолкнула его, и он упал: он плохо ходил без палки. Она тут же бросилась его поднимать, а он повторял все время:

— Вот увидишь... Все...

Когда Мещеряков проснулся, стояло чудесное утро. За завтраком Дунянчик дала ему телеграмму

из Ленинграда (телеграмма пришла вчера вечером, когда он был в Москве).

«Просим прибыть шестнадцатого десять утра пробу Рогожина тчк Пилар». Шестнадцатое было завтра. Он сказал, что позвонит в Ленинград и постарается перенести пробу, но Дунянчик промолчала: она боялась, чтобы он оставался сейчас в Москве. Он пошел на станцию звонить в Ленинград. Она проводила его до калитки с маленькой на руках. У калитки они простились на тот случай, если ему придется все-таки уехать в Ленинград.

Он поцеловал ее и вдруг сказал:

— Вспомнил!

Собою маленька, лицом беленька,
Брови собольи, а очи сокольи,
Глаза с поволокой, а рот с позевотой,
А сзади коса — девичья краса.

И засмеялся. Потом еще раз поцеловал ее и дочку и сказал:

— Тебя люблю.

И пошел, тяжело опираясь на палку. А она, как всегда, заплакала — никак не могла привыкнуть к его походке. Он добрел до почты и позвонил в Ленинград. Телефонистка его узнала и, хихикая, сразу соединила. Пилар сказал Мещерякову то, что говорят в подобных случаях все кинорежиссеры: что съемка уже назначена и поэтому мир обрушится, а его, Пилара, съест живьем директор студии, если Мещеряков не прибудет шестнадцатого. Гоша отлично знал, что в кино все — срочно и тем не менее все удивительно легко переносится и, как оказывается потом, даже с пользой для дела. Он все это знал, но ответил Пилару, что приедет к утру в Ленинград. Ему хотелось работать, и тяжко было оставаться в этом городе: ему опять начинало казаться, что она раскаивается и ждет его. И он пошел на электричку. Он шел по тропинке через березовую рощу и думал о роли. Думать о роли было удобно, потому что тогда он думал и о ней. Он решил выбрать для пробы эпизод «После убийства Настасьи Филипповны», когда Рогожин показывает ее тело князю Мышкину. Мещеряков знал, как убил Настасью Филипповну Рогожин — это он теперь точно знал... Так он прошел метров двести и остановился — он сильно устал, был совсем мокрый, и остро болело в груди. Отдохнув, он пошел дальше. Когда он вышел из рощи, электричка подходила к станции. Он решил успеть на нее. И побежал, низко приседая и радуясь, как весело он торопится — совсем как в детстве. Электричка уже остановилась, когда, схватившись за перила, он начал скакать вверх по ступенькам платформы. Его обгоняли. Впереди бежала девушка, волоча за собой мешок. Из мешка сыпались огурцы, стуча по доскам, и он, чтобы не споткнуться, все время глядел себе под ноги. Раздался гудок электрички. Два матросика держали плечами двери вагона — не давали захлопнуться. Девушка с мешком уже вскочила в вагон, и он увидел ноги девушки, мучительно стройные, загорелые, совсем ее ноги.

— Давай, отец! — кричали матросики, все придерживая плечами двери. Мещеряков был молод-

цом — он почти успел на электричку. Он уже был на верхней ступеньке, но вдруг остановился, постоял и упал спиной назад — вниз, по ступенькам платформы. В пять часов вечера того же дня июльское солнце висело за высокими окнами театра, и тяжелые портьеры были опущены. Только в дальнем конце фойе, у входа в буфет, занавеси были отдернуты, и солнце лилось потоками на пол, на стены — горели стекла актерских фотографий и сверкал паркет. В затененной части пустынного фойе (в театре был выходной) сидели двое: режиссер К. и молодой критик Ф. (После размолвки между режиссером К. и критиком Д. по причине восторженных отзывов о Мещерякове критик Ф. занял место главного почитателя режиссера К.) Критик Ф. только что посмотрел макет декорации «Прометея», после чего сделал несколько кругов по фойе и уселся молча рядом с режиссером (это круговращение означало: макет прекрасен и слов нет).

Макет «Прометея» был действительно прекрасен.

— Я уже представляю себе фигуру Осьмеркина в этих декорациях,— сказал наконец Ф.

Режиссер К. чуть улыбнулся:

— Осьмеркин — это Прометей из НИИ. Нужен совсем другой актер, молодой, максимум двадцать два года, и красавец обязательно, ведь Прометей — из племени богов. И здоровенный красавец, потому что украсть огонь — это тяжело. Для этого нужна сила! Итак, молодой, атлет, совершенное тело... И эта роскошная плоть, созданная для радости, для любовных утех — взамен уготовленного ему рая —

выбирает скалу! Молодой критик Ф. слушал, затаив дыхание. К. продолжал:

— Недавно я слушал пластинку Остужева, его монолог Отелло.

Когда-то мне казалось, друг мой, что все это несколько... ну, скажем, наивно. А сейчас — изумился. Грандиозная личность! В нем — двадцать планов! А в Осьмеркине — два, Осьмеркин — обычен. Он общий, он везде... Вчера я перелистывал фотографии греческих скульптур,— говорил К., уже перепрыгивая на новый предмет.— Один мрамор поразил: хохочущий юный Марс, сделанный в Коринфе... Ночью он даже мне приснился... Режиссер К. не позировал. Он действительно видел это лицо во сне и даже придумал ему название: «Смеющийся Прометей». Он похитил огонь и смеется от восторга, от своей силы! Он готов на любые муки в борьбе с богами, но он еще не знает, что боги ему придумали самую страшную — неподвижность. И не боль ему будет страшна, и не коршун, клюющий печень, а это бездействие — вечное бездействие, ужасное для всякой силы... И в упоении от грядущей работы режиссер К. зашагал по пустому фойе, туда, в дальний угол, к буфету, где горел луч солнца. Он прошел сквозь строй вечно молодых лиц своих актеров на фото, бормоча под нос стихи Эсхила и слыша за спиной восторженные вздохи юного критика. Он дошел почти до входа в буфет, утонул в столбе солнца — и замер. Со стены, сверкая стеклом, смотрело на него лицо молодого Мещерякова.

Да, это был он — «Смеющийся Прометей».

Актриса (Конец одного стихотворения)

АКТРИСА
(КОНЕЦ ОДНОГО СТИХОТВОРЕНИЯ)

Зина Пряхина из Кокчетава, словно Муромец,
в ГИТИС войдя, так Некрасова басом читала,
что слетел Станиславский с гвоздя...

Зину словом никто не обидел, но при
атомном взрыве строки: «Назовимне такую
обитель...» — ухватился декан за виски.

И пошла она, солнцем палима, поревела
в пельменной в углу, но от жажды подмостков
и грима ухватилась в Москве за метлу.

Стала дворником Пряхина Зина, лед
арбатский долбает сплеча, то Радзинского,
то Расина с обреченной надеждой шепча...

Зина Пряхина из Кокчетава, помнишь —
в ГИТИСе окна тряслись? Ты Некрасова
не дочитала. Не стесняйся. Свой голос возвысь.

Ты прорвешься на сцену с Арбата и не с черного хода, а так... Разве с черного хода когда-то всем народом вошли мы в рейхстаг?!

Евгений Евтушенко.
«Размышления у черного хода»

Она вошла в ванную. Съела таблетки перед зеркалом. Запила водой из-под крана. Потом вернулась в комнату, легла на ковер у кровати и стала ждать.

Это и был — конец стихотворения, Женя. Три дня и три ночи ее пытались спасти.

Но она правильно все рассчитала — она работала медсестрой.

Три пачки димедрола плюс четыре пипольфена,
и девять часов до того,
как пришла с работы подруга...
А потом наступила ночь тринадцатого января,
и люди, которых она в записке
просила «никого не винить в своей смерти»,
сидели за столиками в ресторанах
и сыто, и пьяно провожали Старый год,
чтобы потом, во тьме постелей,
прижавшись телами к другим телам,
благополучно доплыть до конца новогодней ночи...
А в это время ее обнаженное тело
лежало в беспощадном свете мертвецкой,
и безумный голос ее подруги
орал в замерзшую трубку:
«Как она?»

И мужской голос — сумрачно и сухо: «Такие
данные не сообщаем по телефону».
Действительно!
Зачем тревожить сограждан «такими данными»?
Засекретим смерть,
и пусть у нас всегда торжествует жизнь, как в
конце твоего стихотворения, Женя...
Вчера я встретил ее
в первый раз — после ее смерти.
На дачной эстраде танцевали девочки.
Я узнал ее сразу —
она танцевала последней.
Кровавые пятна носков для аэробики,
ураган волос а-ля Пугачева...
Шаровая молния в конфетной обертке!
Балдели дачные мальчики
с теннисными ракетками, на складных
велосипедах.
И голос матери, нарочито громкий:
«Будет артисткой!»
Все это происходило под Москвой,
а совсем не в Кокчетаве, где еще верят, что
«в артистки» надо ехать в Москву
и завоевать талантом сияющую столицу, как
в конце твоего стихотворения, Женя. Она
поехала...
Вчера я встретил ее на улице. Она только что
приехала в Москву и шла в ГИТИС,
или в «Щуку», или в «Щепку», или во МХАТ.
И это было нашим вторым свиданием
после ее смерти...

...Ковер, на котором она лежала...

Она вошла во двор
и прочла объявление:
«Абитуриентов прослушивают в тире».
Маленькая головка на теле Венеры,
точеные черты Натали Гончаровой
и волосы, перехваченные черной ленточкой...
Пушкинская красавица в хипповой диадеме!
О, как она орала в тире:
«Я — Мэрлин!.. Я — героиня
самоубийства и героина!»
Молодые режиссеры широко улыбались
и слушали стихи Вознесенского
про самоубийство Мэрлин Монро.
(О, как она им нравилась!)
И «сам» широко улыбался —
эта красавица, полная сил и здоровья,
что она знала про самоубийство?
Про самоубийство и героин?
(О, как она ему нравилась!)
«На обороте у мертвой Мэрлин...»
Она победно вышла из тира.
И жались к стенке,
стараясь не глядеть на нее,
жалкие соперницы.
«Звезда абитуриентуры» —
так ее назовут после трех лет ее поражений,
когда она узнает, каково вглядываться
в тускло напечатанные списки принятых,
а потом кружить вокруг канцелярии

со сводящей с ума надеждой —
а вдруг пропустили?
А вдруг пропустили ее фамилию?
Такую смешную фамилию...
И режиссер, который набирал этот курс,
которому она так нравилась тогда в тире
во время отстрела юных дарований,
не объяснит ей,
что такое звонки по телефону,
сводящие с ума звонки по телефону —
звонки знакомых и родственников,
звонки сподвижников и сподвижниц по театру,
звонки из вышестоящих организаций,
звонки из нижестоящих организаций,
звонки с просьбой об элементарной человечности,
звонки с угрозами и истериками,
звонки с проклятьями и воплями...
И он положит ее смешную фамилию
на алтарь этих звонков
как жертвоприношение
во имя того человеческого,
которое всем нам так не чуждо.
В конце концов,
на алтарь и следует положить
самое прекрасное...
А вместо нее выберут кого-то
из этой толпы «позвоночных» дурнушек,
которых сейчас она так презирает.
Возьмут некрасивую дочь красавцев родителей
(природе нужен отдых)...
О, бездарные отпрыски кумиров,

сводивших с ума в шестидесятые!
Ваши знаменитые фамилии
никогда не уйдут с нашей сцены!
И профессия актера скоро станет у нас
наследственной,
как в древней Индии...

..Ковер, на котором она лежала...

Но это все еще впереди,
а пока она идет по московским улицам —
победительница первого тура ГИТИСа,
а может, «Щепки», или «Щуки», или МХАТа.
Идет Актриса!
А всего через две недели...
Ох, как они забегают всего через две недели —
отвергнутые возлюбленные театра! Разговоры в
отчаянии:
«Сказали — есть места в Институте культуры...»
«Набирает дополнительно Воронежское
училище...»
«Говорят, недобор в Ленинграде, в Эстрадном...»
И, только намаявшись,
наскитавшись по столицам и весям,
они дадут телеграммы — крики о помощи —
и, получив переводы, отъедут навсегда
в свои тихие городки...
Но отъедут слабейшие.
Актрисы останутся.
Здесь самое место выйти музыкантам,
например, из джаз-рок-ансамбля «Арсенал»,
и пусть золотая железка Алеши Козлова

сыграет нам что-нибудь
про вечную надежду,
вместо того, чтобы рассказывать,
как они устроились дворничихами по жэкам,
воспитательницами по яслям,
работницами по прачечным,
нянечками по инвалидным домам и больницам —
повсюду, где дефицит в рабочей силе,
продолжая грезить (саксофон), продолжая
мечтать (бас-гитара), как они вернутся
летом в стрелковый тир, чтобы снова и
снова тщетно бросаться на шею капризному
возлюбленному — театру (синтезатор).
(И прости за безвкусные строки...) А пока они
ходят вечерами в самодеятельные театры-
студии, где они пройдут
школу жизни настоящих актеров, научатся курить,
отрежут косы и...
Скучно повторять эту банальную историю. А те,
кому совсем повезет (совсем-совсем повезет),
познакомятся с посетившим случайно студию
настоящим режиссером.
Знаменитым настоящим режиссером.
Ах, какое это удачное знакомство:
«Он меня увидел и сразу все про меня понял...
Он сказал: «Вы — моя актриса.
Через год я буду набирать себе курс...»
Самое смешное, он это действительно сказал.
А потом ее сборы на свидание,
лучшие из туалетов ее подруг:
Маринины шерстяные носки,

Динина юбка
и ломовая кофта Насти,
которую Настя взяла поносить у Веры
из студии «У Никитских».
По дороге
она останавливается у всех афиш его театра,
она читает его фамилию,
замирая от букв его имени...
И люди рядом читают.
(Глупцы, они не знают...)
«Я у вашего дома,
я только не знаю куда,
вы забыли сказать...»
Его квартира.
Афиши, афиши, афиши его театра... Холод и дрожь, когда раздевают, и страх показаться неопытной...
Потом его бегство в ванную,
и вот уже (какой он старый!)
старый человек прощается с нею
осторожно и мило:
«Звони в театр, прямо в кабинет».
Но телефон не дает.
И она ходит под освещенными окнами,
где старый мальчик, наигравшись вволю,
укладывается вовремя спать.
Старый мальчик, не хуже и не лучше других,
которым не чуждо все человеческое...
А потом придет весна,
и начнется второе лето,
и они вновь войдут

в пыточные аудитории ГИТИСа,
или «Щуки», или «Щепки», или МХАТа,
и молодые режиссеры, которым велено
вынюхивать таланты для второго тура,
когда явится «сам»,
эти молодые ищейки за инквизиционным столом
все поймут наметанным глазом
по их дурно-профессиональному чтению
(занятия в студиях),
по обрезанным косам,
по потерянному румянцу...
«А вы уже поступали в театральное?»
«Нет... то есть да!»...
Вчера я увидел ее.
Она шла поступать в третий раз,
в последний свой раз.
Она шла, как хотел поэт —
гордо шла по Арбату,
готовясь шагнуть с прекрасной улицы
прямо на сцену...

...Ковер, на котором она лежала...

Она шла и бормотала стихи — все те же стихи о самоубийстве Мэрлин. Она готовилась прочесть их,
как научил ее очередной возлюбленный —
знаменитый актер...
Знаменитый дерьмовый актер.
«Я — Мэрлин» — читай это с юмором.
Какая ты, к черту, Мэрлин?
Читай, как бы извиняясь, —

дескать, я ваша Мэрлин,
ибо других у вас нет...
И эту строчку:
«А вам известно, чем пахнет бисер?
Самоубийством!» — не ори как зарезанная.
В самоубийство сейчас никто не верит.
В «Склифе» есть отделение,
там лежат «пугалки».
Это девки, которые травятся так,
чтобы их спасли.
Хотят попугать своих мужиков —
вот что такое современное самоубийство!»
И, бормоча стихи, как он учил,
она подошла к ГИТИСу,
а может, к «Щуке», или к «Щепке», или к МХАТу.
Подошла к этим вратам в рай. Подошла, неся свою тайну — тайну трех лет.
Эти три года...
(Рассказ подруги — нянечки из дома инвалидов и престарелых): «У нас, как в Ноевом ковчеге, собрались все, кто не поступил в театральные и во ВГИК. Массовик в доме,
чтобы как-то нас заинтересовать, бросил идею:
«Давайте пробьемся в телепередачу «Шире круг».
Подготовим самодеятельность — и пробьемся».
Что тут началось!
Все мгновенно представили,
как наши матери включают телевизор,
и на залитой светом эстраде
стоим мы
С раннего утра, достав гитары,

мы дожидались прихода массовика.
Он пришел под вечер,
и мы начали репетировать
«Песню о Гренаде» Михаила Светлова...
И тогда вошла она!
И с нею все, о чем мы мечтали:
волосы, как у Пугачевой,
лицо из иностранного журнала
и суперфигура.
Она молча взяла гитару у остолбеневшего массовика
и запела стихи Цветаевой
своим рыдающим голосом.
Потом сказала безапелляционно,
как все, что она говорила:
«Вот что вам надо петь на ТВ!»
И пошла из зала,
а две девочки, как сомнамбулы,
молча двинулись за нею.
И я была одной из них...
Я буду подражать ей во всем,
я буду молиться на нее,
я буду верить всему, что она выдумала...
Однажды она рассказала,
что в Индии йоги знают эликсир жизни.
И когда ее тело легло под лампы мертвецкой,
я вбежала на Центральный телеграф
и умоляла перепуганную телефонистку
позвонить в Индию.
Я встала перед ней на колени,
я ползла к ней по залу,
пока вызывали милицию...

...Ковер, на котором она лежала...

Она была в нашем инвалидном доме
как бомба замедленного действия.
И наши немощные старики надели отглаженные
костюмы,
и наша директорша сходила с ума от ненависти...
Наш вечер Цветаевой,
который должен был стать началом славы,
кончился тем, что уволили несчастного
массовика
(письмо директорши в райком).
Но однажды —
Однажды ей стало скучно,
и она нас оставила.
Так умела оставлять только она.
Сразу!
Сразу оставила стариков, старух,
безответно влюбленного массовика...
И я ушла за нею.
А потом погибли ее родители
в автокатастрофе (так она мне рассказала),
и у нее не стало денег.
Вот когда она придумала презирать!
Презирать — и деньги, и шмотки...
Она объявила себя хиппи,
раздала все, что у нее было,
и начала новую игру.
Она ходила в самодельных брюках,
сделанных из занавески,
в бархатной блузе из обивки старого дивана,
найденного на помойке,

и в кроссовках, взятых на время
(у кого — она забыла).
Она всегда легко дарила свои вещи
и потому легко брала чужие.
А когда они ей надоедали —
дарила чужие, как свои.
Это было началом многих моих испытаний.
Я все время должна была зарабатывать деньги,
чтобы платить за эти чужие вещи...
Каким прекрасным хиппи она была!
Жаль, что хиппи быть хорошо только летом,
пока греет солнышко...
Это хипповое наше лето!
Обычно мы снимали угол
за гроши, у какой-нибудь старухи,
но в то наше нищее лето
ей надоели мои «скромные замашки».
(«Я хочу репетировать — старухи мне мешают»).
И она нашла себе отдельную квартиру,
даже целый дом!
Это могла найти только она:
дом на Софийской набережной,
предназначенный на слом.
Его тайно сдал техник-смотритель
за сорок рублей, которых у нее не было, —
их платила безумная поэтесса,
«девочка с тараканчиками»,
не прошедшая в Литинститут.
Мы познакомились с ней на Патриарших прудах —
на бульваре Мастера и Маргариты...»
Это был дом с крестами досок на окнах, как в войну,

с оборванными обоями, висящими в квартирах, как обгоревшая кожа, с ночными привидениями, с отключенным водопроводом, с приставаниями пьяного техника-смотрителя... Дом смотрел слепыми окнами днем, а по ночам в нем зажигались свечи (опять «Мастер и Маргарита»), и девочки-мальчики крались в квартиру по пустой лестнице,
освещенной глазами осторожных кошек. Дом оглашался ее стонущим пением. Звенели стаканы,
«И всю ночь подъезжали кареты...» (ее слова).
Но пришлось бросить и этот дом,
потому что наступила зима,
и она почувствовала себя в доме,
как андерсеновский утенок в замерзающем пруду.
И тогда она начала путешествовать по знакомым.
Она купила в «Детском мире» игрушечный револьвер.
Он должен был защищать ее
во время неожиданных ночевок,
во время случайных пристанищ,
которые она находила той зимой. Ей легко было менять квартиры: все ее имущество, кроме револьвера, составлял череп,
который подарил ей на день рождения нищий художник.
В него она влюбилась безумно и сразу, объявила его Ван Гогом, чтобы убежать от него, когда полюбит он. Это была беда:
она любила, пока не любили ее,

потому что только пустота
могла поглощать ее постоянное извержение —
извержение любви.
Как часто ночами,
обезумев от луны,
она набирала телефоны возлюбленных и,
задыхаясь от нежности, объяснялась им в любви, читала стихи, чтобы не узнать их при встрече...
В тот хипповый год и состоялся ее дебют —
дебют на большой сцене.
Однажды ночью после спектакля,
у одного московского театра,
где давно были погашены огни,
собрались мальчики-девочки.
Дверь служебного входа осторожно открылась,
и ночной сторож
(мальчик, не поступивший в ГИТИС) впустил их всех. Это были они —
отвергнутые возлюбленные театра.
«Непоступившие братья и сестры»
прошествовали в пустой зал. Горела дежурка на сцене — прекрасный таинственный свет. Она поднялась первой.
Первой — на сцену.
Потому что влюбленный мальчик-сторож выдумал все это для нее. В ту ночь на настоящей сцене она читала монолог Мэрлин и играла отрывок
из возлюбленного «Мастера и Маргариты».
На настоящей сцене
она пела свои песни,

танцевала безумные танцы —
босиком, как Айседора Дункан.
Мечта, за которой она приехала в Москву, сбылась:
состоялся ее триумф —
триумф на настоящей сцене.
В ту ночь она стала Актрисой.
Первой Актрисой несуществующего театра...
На рассвете волшебство умирает.
Мальчики-девочки подчинились правилам:
они поаплодировали друг другу
и разошлись.
На пороге театра она встретила солнце.
Потом пошла на Патриаршие —
на свою любимую скамейку,
где в Москве впервые появился Воланд.
Она сидела на скамейке
и смотрела на пруд,
где Левин в «Войне и мире» на катке увидел Китти... (Это рассказал ей литературовед, в которого она была влюблена целых три дня.) Вот тогда на Патриарших она сказала: «После такой ночи можно и умереть». В первый раз она примерилась к смерти.
.. .Ковер, на котором она лежала... Она шла по Арбату поступать (и не поступить) в свой последний раз.
Шла хипповая Гончарова в тряпичной диадеме, а навстречу шла она же,
только что приехавшая в Москву.
У обеих было одно лицо.
Только у нее — слишком много румян.

Только у нее — первые складки у рта.
Только у нее — страх в глазах...
Жаль, что они не поговорили друг с другом.
Она рассказала бы той, глупой и юной,
о своем триумфе на украденной сцене
и еще о том, как она вкусила славу
в летнюю душную ночь в Крыму...
Второй рассказ подруги:
«Мы возвращались из Коктебеля.
У нас не было денег,
в Феодосию нас довезли на попутке.
Она была в восторге
и написала плакат:
«Мы — две студентки театрального.
Опоздали на поезд».
И все.
Заметьте, никаких просьб — только факт.
А потом она встала у кинотеатра с гитарой и запела стихи Цветаевой своим рыдающим голосом, счастливая, что у нее на груди красуется: «Студентка театрального». И люди останавливались и слушали, как она пела. И собралась толпа.
А потом из кинотеатра вышла тетка — наша вечная российская баба-яга — и стала орать, чтобы она убиралась. Но она даже не повернулась. Она пела.
И тогда тетка вызвала по телефону наряд. Приехал молоденький милиционер. Он старался быть суровым и попросил документы, но тогда вышла другая тетка —
тоже вечная наша российская тетка — и заорала:

«Не тронь дочек, а то я так тебя трону!»
Но милиционер был на работе:
«Почему нарушаете?»
И она ответила в своем стиле:
«Мы не нарушаем. Надеюсь, вам известно,
что в Италии это обычная картина:
человек поет, когда ему нужны деньги».
«Пройдемте в отделение», —
сказал несчастный милиционер.
«Мы можем пройти в отделение,
если нам там выдадут двадцать пять рублей
и шестьдесят копеек на дорогу».
Толпа зашумела,
и добрая тетка пошла в решительное наступление.
И тогда милиционер вдруг закричал: «Ну, вы! Сколько вас тут сердобольных! Неужели не найдется по полтиннику для девушек вместо всех ваших криков?» И пошел прочь.
И тогда кто-то положил на асфальт полотенце, и люди начали бросать деньги, а потом охапки сирени, сорванной прямо с деревьев у кинотеатра. А она все пела.
Она пела всю ночь до поезда.
И уехала, осыпанная цветами,
как и подобает Актрисе после спектакля.
Она любила цветы.
Сама их себе дарила.
Это были, пожалуй, единственные цветы,
которые подарили ей».
(Не считая тех, что положат на гроб.)
Итак, она шла по Арбату в последний раз —

в последний раз не сдать свои экзамены.
Ей обещал помочь знаменитый режиссер,
имя которого значило все в том училище.
Режиссер был стар (это она так считала,
а на самом деле он оставался ребенком). Люди в
театре совсем не стареют, как их портреты в фойе.
Режиссер увидел ее в театре-студии и влюбился,
как обычно (то есть пылко и на неделю). «Ты
рождена для театра, — так он сказал ей. —
Но ты путаешь всех своими замашками.
На приемных экзаменах ты должна выглядеть
не как Мэрлин Монро,
но очень скромно, как обычная ткачиха,
как Екатерина Алексеевна Фурцева
(к сожалению, она не знала, кто это такая), —
и тогда я смогу тебе помочь!»
Но он не помог ей,
малое старое театральное дитя.
И никто так и не выяснил,
приходил ли он вообще в тот день
на приемные экзамены.
Режиссер обладал поразительным свойством:
когда от него что-то требовали,
он становился человеком-невидимкой.
А от него все время требовали:
актеры — ролей,
администрация — решений,
требовали старухи (его прежние девочки)
и девочки (его будущие старухи).
И он всем обещал.
Это было его правило — не отказывать. Потому

что он знал: в тот момент, когда они его
настигнут, он исчезнет.
Он объяснял мне потом по телефону:
«Читала она превосходно.
Но комиссия решила, что она сумасшедшая:
в конце она вдруг сбросила туфли,
полезла на шведскую стенку
и оттуда кричала финал стихотворения про
Мэрлин Монро.
И они так испугались —
я говорю о приемной комиссии...»
И он задохнулся от наивного детского смеха...
(Она придумала этот финал
во время одиноких безумных репетиций
в домашнем театре
в недостроенном доме.)
В этой истории была правда,
в которой режиссер никогда бы не признался
даже себе самому.
Средний человек,
он страшился чрезмерного.
Полый человек,
он страшился наполненного.
Самое странное — она это поняла:
«Только не вздумай ему звонить и просить за меня...
Бесполезно.
Не они, а он меня боится. Не они, а он меня не взял».
А потом я увидел ее в последний раз до ее смерти.
Я ехал к ней на свидание.
Я сел в машину и повернул ключ в замке зажигания.
И ключ обломился. И тут я вспомнил,

как она впервые села в мою машину...
Мы ехали тогда за город
по пустой дороге в светлый июньский вечер.
Она увидела в окне полную луну и закричала:
«Ведьмин час наступил!»
И тотчас я услышал удар,
резкий, жестокий удар:
нас догнал «рафик» и ударил сзади.
На пустой дороге...
Потом шофер «рафика» глядел безумными глазами
    и никак не мог понять, как же это произошло?
На пустой дороге, на абсолютно пустой дороге!
    И тогда она сказала удовлетворенно: «Это — я!»...
Я выбросил сломанный ключ,
оставил машину у тротуара,
поймал такси и успел на это свидание.
На последнее свидание до ее смерти.
Было тридцатое декабря.
Ей оставалось жить две недели...
Я стоял у памятника Пушкину,
поджидая обычного ее появления —
эффектного появления в новогодней толпе у «Пушки».
Неожиданно я наткнулся глазами
на высокую усталую женщину,
такую обычную женщину —
в темном пальто, с блеклым лицом,
с волосами, уложенными под береткой...
Она пришла после ночного дежурства
у постели парализованной старухи.
«Теперь я работаю ночной медсестрой,
а это пальто я купила сама.

Правда, миленькое?»
Миленькое пальто подозрительно пахло покорностью.
Покорностью и правдой.
И очень трудным хлебом.
Она заметила мой взгляд:
«Пора начинать жить нормально,
мне скоро (ужас!) двадцать.
Вчера я собрала все свои вещи
и утопила ночью в Патриаршем пруду
вместо себя:
револьвер, череп,
и главное — хипповую ленточку,
которой я обвязывала волосы.
Вот ее больше всех было жалко.
Ленточка долго плавала в пруду,
а я кричала ей:
«Что делать, у меня только два пути — утопиться самой или утопить вас всех
и покончить с театром!» Я даже позвонила режиссеру, чтобы его не мучила совесть, и сказала ему: «Я покончила с театром!» И знаешь, что он ответил? «Это хорошо!
Потому что если бы ты к нам поступила, мы жили бы как на вулкане. Ты неровная, от тебя не знаешь, что ждать...» Пусть они учат ровных!
Помнишь у Блока стихотворение про самоубийство: «Она пришла на землю, но земля ее не приняла...» Загнанных лошадей пристреливают, а непринятых в артистки...» Она засмеялась: «Не гляди так... И не бойся.

Я уже не играю в эти игры. Я выхожу замуж.
Я теперь как все.
И ты молодец — сразу это понял».
Ее бешеная интуиция — она поняла мой взгляд...
Будь проклят этот взгляд!
Мы зашли в бар «Охотник».
Она сняла пальто, пахнущее покорностью,
выпустила из-под беретки золотые волосы
и в темноте опять стала собою.
«Мне попалась замечательная парализованная бабуля,
ее родственники от меня в восторге.
На днях у бабули начала двигаться нога.
Ты, конечно, не веришь, но у меня — особые
пальцы,
оказалось, я могу лечить!
Опять не веришь?
Нога задвигалась от моего массажа,
и сегодня в честь этого события
и наступающего Нового года
я решила чуточку приукрасить мою бабулю —
все-таки она женщина...
Я наложила румяна на ее лицо (они были у
медсестры в столике) и надушила французскими
духами (тоже были в столике). И бабуля
благодарно мне улыбалась, когда я прощалась с
ней до Нового года...» Глаза горели — она была
прежняя, потому что она не могла быть другой.
А я сидел, представляя, что происходит сейчас в
палате,
как родственники уже узрели размалеванную старуху
и медсестра уже обнаружила,

куда пошли ее румяна
и драгоценные французские духи...
Мне легко это было представить,
потому что я такой же, как все.
Как все мы, Женя...
Теперь, после ее смерти,
я часто встречаюсь с нею.
Куда чаще, чем при ее жизни...
Вчера я сидел на пляже в Коктебеле.
Было солнечное утро.
Она вышла из моря в прилипшем бикини
и с грозной копной волос — Медуза Горгона!
И женщины испуганно врастали в лежаки —
такой беспощадной была ее красота.
А пляжный мальчик сказал мне:
«В прошлом году здесь была клевая девка
со смешной фамилией — Пряхина.
Мне недавно рассказали, что она вышла замуж
за мексиканца, представляешь?
Уехала в Мексику и руководит театром в джунглях...
Что ты так смотришь?
Это рассказала ее безумная подруга!
Всей нашей честной гоп-компании рассказала,
какой замечательный театр в джунглях
основала Зинка Пряхина...»
И я вспомнил, как однажды поведал ей
поразившую меня историю:
в Мексике, в непроходимых джунглях,
какой-то подвижник основал театр
имени Станиславского,
чтобы там, вдали от суеты,

строить Храм Искусства.
Ну, конечно!
Конечно!
Вот он, конец стихотворения!
Долгожданный конец стихотворения, Женя!
Кстати, в эту концовку
можно вписать и гриновский корабль,
стоявший на набережной Коктебеля
(о, как она его любила!),
эту дощатую лодку с выцветшими тряпками
и надписью «Алые паруса».
На ней вечно играют орущие дети
и фотографируются вместе с родителями
на палубе, пропахшей детской мочой.
Вот этот ее любимый корабль
однажды подплыл к Коктебельскому пляжу.
С корабля сошел юный капитан
с медальным латиноамериканским профилем.
Он обнял нашу прекрасную героиню,
выходившую из пены вод,
и увез основывать театр
имени Станиславского
в непроходимые джунгли Мексики,
или Никарагуа,
или...
Короче, туда, где требуется служительница в Храме Искусства! А с берега вослед кораблю бросали охапки сирени благодарные жители Феодосии, и море цвело, как бульвар в ночь ее крымского триумфа...
Клянусь, ей понравился бы этот конец.

Научно-популярное издание

12+

Эдвард Радзинский

«А существует ли любовь?» — спрашивают пожарники

Ответственный редактор *М. П. Николаева*
Технический редактор *Т. П. Тимошина*
Компьютерная верстка *И. В. Гришина*

Общероссийской классификатор продукции
ОК-005-93, том 2; 953000 – книги и брошюры

Подписано в печать 27.01.2015
Формат 84x108 $^{1}/_{32}$. Усл. печ. л. 16,08.
Тираж 15 000 экз. Заказ 904.

ООО «Издательство АСТ»
129085, РФ, г. Москва, Звездный бульвар, дом 21, стр. 3, комната 5

Адрес нашего сайта: www.ast.ru
E-mail: astpub@aha.ru

«Баспа Аста» деген ООО
129085 г. Мәскеу, жұлдызды гүлзар, д. 21, 3 құрылым, 5 бөлме
Біздің электрондық мекенжайымыз: www.ast.ru
E — mail: astpub@aha.ru

Қазақстан Республикасында дистрибьютор және өнім бойынша арыз-талаптарды қабылдаушының өкілі «РДЦ-Алматы» ЖШС, Алматы қ., Домбровский көш., 3«а», литер Б, офис 1.
Тел.: 8(727) 2 51 59 89,90,91,92, факс: 8 (727) 251 58 12 вн. 107;
E-mail: RDC-Almaty@eksmo.kz
Өнімнің жарамдылық мерзімі шектелмеген.

Өндірген мемлекет: Ресей
Сертификация қарастырылмаған

Отпечатано с готовых файлов заказчика
в ОАО «Первая Образцовая типография»,
филиал «УЛЬЯНОВСКИЙ ДОМ ПЕЧАТИ»
432980, г. Ульяновск, ул. Гончарова, 14